Con radiante alegría y satisfacción deposito en vuestras manos los frutos de una minuciosa búsqueda y selección en las profundidades de la sabiduría antigua y moderna de aquel conocimiento que ilumina y enriquece la vida. El conocimiento se asemeja a la luz, su ingravidez e intangibilidad le permite llegar sin dificultad a todos los confines. He aquí los más hermosos y perdurables mensajes para llevarlos siempre en la mente y en el corazón. Es mi más caro anhelo que estos mensajes iluminen vuestra existencia, contribuyan a la paz, la armonía y prosperidad.

Iniciemos pues, el nuevo milenio, en el grato y reconfortante calor de estos nobles mensajes. Este es el primer número de una colección que año a año pondrá a vuestra disposición una síntesis de todo lo que se publique acerca de autosuperación y desarrollo humano. A partir del 1º de Noviembre de cada año se podrá adquirir.

Agradezco los comentarios que se hagan acerca de esta mi pequeña contribución a la paz y la armonía, con mucho gusto las atenderemos.

Teléfono (0511) 458-5361   Fax: 458-4590.

Alberto Briceño

"Por el Desarrollo Integral del Hombre..."

Navidad 2000 - Año Nuevo 2001

Que la Paz
y la Armonía

Perduren

por Siempre...

Nacimiento

Blancos reyes del oriente
blanco Jesús en el templo,
blanca la Sagrada iglesia,
blanca la estrella luciente.

Blanco nació Jesucristo
blanco el portal de Belén
blancos los reyes también
y blanca la luz que han visto.

Blanco fue el altar bendito
blanco Dios omnipotente
blanca la estrella luciente
blanco el divino Señor
y blanca la adoración
blancos reyes del oriente.

En blanco se presentó
al blanco templo aquel niño
blancos fueron los cariños
que en blanco les dispensó.

En blanco a todos dejó
y fue blanco en el momento
blanco el santo firmamento
blanco el divino Señor
blanco está como una flor
blanco Jesús en el templo.

Blancos fueron los conventos
blanca el agua cristalina
blanca corona de espinas
blanco el santo firmamento.

Blancos los diez
mandamientos, blanco
el día cuando empieza
y fue blanca su tristeza
blanco fue para morir
y en blanco empezó a vivir
blanca la sagrada iglesia.

Blanca la muerte de Cristo
porque blanca fue su vida
blanca la Virgen María
y blancos los angelitos.

Blanco fue el altar bendito
blanco Dios omnipotente
blanca estrella del oriente
blanco el divino Señor
y blanca la adoración
blanca la estrella luciente.

Blanca ha sido su doctrina
blanca la anunciación
y blanca fue la ascensión
a la paz blanca y divina.

Blanca su madre María
que en blanco noches pasó
blancos lirios prefirió
para blanca el alma estar
y muy blanca así entrar
al blanco que prometió.

San Bernardo

Navidad Llega...

Cuando se disipa una duda
y se hace luz en el alma.

Cuando un pobre alivia su necesidad.

Cuando un corazón triste recibe consuelo.

Cuando brilla en los ojos la alegría
de un deber cumplido.

Cuando nace la paz de una reconciliación.

Cuando una cálida palabra de aliento
deslíe el hielo de la desilusión.

Cuando el sol de una esperanza
alumbra las tinieblas de un fracaso.

Cuando en un corazón viejo y cansado
reviven los entusiasmos de la niñez.

Navidad llega...
cuantas veces en las vidas de los otros
podamos nosotros hacer navidad.

Anónimo

¿Quién es esa tierna criatura
que duerme en el regazo de María?
¿A quién saludan los ángeles con
dulces cánticos mientras los
pastores velan su sueño?

Ese niño, a quien los pastores
cuidan y los ángeles cantan,
es Cristo Rey.
¡Venid presurosos a alabar
al niño, el hijo de María!

Timothy Wight

Hombre Estelar

Siempre te amé, Jesús, alma celeste, que descendiste desde las estrellas, tomando forma humana, sutil, leve, de suave transparencia... que pasaste, diciendo en tu camino la plegaria sencilla, la más bella de todas las plegarias: "Padre nuestro..."

Oración que se escucha por doquiera, que se alza luminosa entre la angustia del humano dolor; porque es la huella que dejaste en sus sombras, cual la nave, sobre el abismo de la mar, su estela.

Siempre escuché, Jesús, tu verbo amante; porque en las almas trémulo penetra, como un ritmo de raras vibraciones, que alienta, que acaricia y que consuela.

Porque dijiste: "Bienaventurados los seres que en la tierra tienen sed de justicia; los que lloran; los pobres, los que sufren, los que esperan..."

Porque de tus palabras bienhechoras se formó tu doctrina, nube inmensa, que cayó como lluvia fecundante en la aridez de todas las miserias, y abrió a los besos de una nueva aurora la flor de la conciencia...

Admiré tu clemencia y tu dulzura; porque dejabas que a tu seno fueran los niños; los enfermos, los caídos, pidiéndote salud, amparo y fuerzas; y porque desplegabas para todos tu blanco manto de piedad suprema. Humilde, generoso, santo y bueno... ¿Cuál fue tu recompensa?...

La corona de espinas en tus sienes; la cruz, para tus manos siempre abiertas; para tu sed de amor, la hiel amarga; para tu corazón, llaga sangrienta; para el lirio sin mancha de tu cuerpo, azotes, desnudez, lodo y vergüenza.

Y tú, fijando la húmeda mirada en la bóveda azul, muda desierta... "¡Perdónalos, Dios mío!", suspiraste, con el alma de amor siempre sedienta, "¡Perdónalos! No saben lo que han hecho...". Y fue el "perdón" tu lágrima postrera, que surcó por tus pálidas mejillas, cayendo de la Cruz, como una estrella, sobre la frente de tu santa Madre, símbolo del Amor, divina herencia, que descendió también desde el Calvario, ¡Sobre todas las Madres de la Tierra!

Ricardo Mujia

Cuando la vida es plena, sólo es amor;
cuando la conciencia es total,
sólo produce amor.
Cada impulso de inteligencia de nuestra conciencia
comienza su viaje desde la fuente de vida
como amor y nada más que amor.

Deepak Chopra

Toda la vida del hombre sobre la faz de la tierra
se resume en la búsqueda del amor.
No importa si finge correr detrás de la sabiduría,
del dinero o del poder.

Paulo Coelho

Una palabra salida del corazón
da calor durante tres inviernos.

Sabiduría Oriental

Cuando me llegue el momento de morir,
dijo la rana, bajaré al mar para que me devore
una de sus criaturas; así, incluso mi muerte
será un acto de bondad.

El Talmud

No juzgues, que nadie es tan malo;
y no te confíes, que nadie es tan bueno.
Practica el heroísmo diario de cumplir
con tu deber...

Abdul Baha

Todas las miradas estaban inquietas,
todo el mundo llevaba prisa,
cada cual esperaba una mejora futura
y así nadie gozaba del momento presente.

Mika Waltari

¡Papá Noel Sí Existe!

Estimado editorialista del New York Sun:
Tengo 8 años. Algunos de mis amigos dicen que
Papá Noel no existe. Papá dice, "si lo dice "The
Sun", es así". Por favor, dígame la verdad, ¿Existe Papá Noel?

Virginia O'Hanlon

Estimada Virginia:

Tus pequeños amigos están equivocados. Les ha afectado el escepticismo de una era escéptica. No creen más que lo que ven. Creen que no puede existir nada que no sea aprendido por sus mentes pequeñas.

Todas las mentes, Virginia, sean de hombres o de niños, son pequeñas. En este gran universo nuestro, el hombre es simplemente un insecto, una hormiga en lo que a su intelecto se refiere, comparado con el mundo sin límites que lo rodea, comparado con la inteligencia capaz de abarcar la verdad y el conocimiento totales.

Sí, Virginia, existe Papá Noel. Tan cierto que existe como existe el amor, la generosidad y la devoción, y tú sabes que éstos abundan y le dan a tu vida los mayores encantos y alegrías. ¡Dios, qué triste sería el mundo si Papá Noel no existiera! Sería tan triste como si no existieran Virginias. No existiría la fe infantil, ni la poesía ni el romance para hacer esta existencia tolerable. No tendríamos alegría, excepto en los sentidos y en la vista. La luz con la cual la infancia llena el mundo se habría extinguido.

¡No creer en Papá Noel! Podrías del mismo modo no creer en las hadas. Podrías conseguir que tu padre contratara hombres que revisaran todas las chimeneas la noche de Navidad para atrapar a Papá Noel, pero, aun si no vieras a Papá Noel bajando por la chimenea, ¿qué probaría esto? Nadie ve a Papá Noel, pero eso no significa que Papá Noel no exista. Las cosas más reales en el mundo son aquellas que ni los niños ni los hombres pueden ver. ¿Has visto tú alguna vez a las hadas danzando sobre el césped? Claro que no, pero eso no es prueba de que no estén allí. Nadie puede concebir o imaginar todas las maravillas que no son ni vistas ni visibles en el mundo.

Si rompes el sonajero de un niño pequeño podrás ver lo que produce el ruido en su interior, pero hay un velo cubriendo el mundo invisible que no puede ser roto ni por el hombre más fuerte ni por la unión de la fuerza de todos los hombres más fuertes que han vivido. Sólo la fe, la poesía, el amor, el romance pueden correr esa cortina y contemplar y describir la gloria y la belleza suprema que hay detrás. ¿Es todo real? Ah, Virginia, en todo este mundo no hay nada que sea más real y permanente. ¡Qué no existe Papá Noel! Gracias a Dios, existe y existirá siempre. Dentro de mil años, Virginia, no, dentro de 10 veces 10 000 años, continuará haciendo feliz el corazón de los niños.

Francis P. Church

Querido Papá Noel:

"Soy una niña de once años, tengo dos hermanos menores que yo y una hermana aún bebita. Mi papá murió el año pasado y mamá está enferma. Ya sé que hay muchas personas que son más pobres que nosotros y no quiero nada para mí, pero, ¿podrías mandarme una frazada para evitar que mi mamá sienta frío en las noches?".

Susanita

Querido Papá Noel:

"Tengo diez años y soy hijo único. Acabamos de mudarnos a este lugar, y todavía no tengo amigos. Me siento triste, no por ser pobre sino porque estoy muy solo. Ya sé que tienes que ir a ver a mucha gente y quizá no puedas dedicarme un poco de tiempo, por tanto no te pido que vengas a mi casa o me traigas alguna cosa. ¿Podrías enviarme una cartita para saber si existes o no?".

Pedrito

Carta de un Amigo

Cómo estás, solamente te envío esta carta para contarte lo mucho que te amo y pienso en ti. Ayer te vi mientras hablabas con tus amigos y esperé todo el día deseoso de que también lo hicieras conmigo. Al llegar el atardecer te ofrecí una puesta de sol para cerrar tu día y una brisa suave para que descansaras y... esperé; nunca llegaste. Sí, me dolió pero todavía te amo. Te vi dormir y deseaba tocar tus sienes. Y derramé la luz de la luna sobre tu almohada y tu rostro; nuevamente esperé deseando llegaras rápidamente para poder hablarte. Tengo tantos regalos para ti. Despertaste tarde y rápido te fuiste al trabajo. Mis lágrimas estaban en la lluvia que caía.

Hoy te ves muy triste... si tan sólo me escucharas. Te amo, te amo, trato de decírtelo en el cielo azul y en la tranquilidad de la yerba verde... lo susurro en las hojas de los árboles, en los arroyos de las montañas y lo expreso en los cantos de amor de los pájaros. Te cobijo en el tibio sol y perfumo el aire con olorosas esencias naturales.

Mi amor es más profundo que los mares y más grande que los deseos que en tu mente anidan. Oh, si tú supieras cuanto anhelo caminar y hablar contigo. Podemos vivir juntos siempre aquí en la tierra y todo el universo si así lo quieres tú... yo sé que te han dicho que la vida es difícil, pero si sabes ser mi amigo jamás tendrás dificultad, además mi Padre, que es tuyo también, te ama mucho y me ha pedido que te proteja. Yo te amo como él y sólo espero que me pidas que te acompañe, te guíe y te aconseje.

Llámame, búscame, cuenta conmigo, tengo miles de maravillas que ofrecerte. Deseo que veas esta vida como es: un juego permanente y lleno de aventuras en verdad interesantes. ¿Podrías hablarme hoy?

Tu amigo Jesucristo

Cuando un padre se lamenta de que su hijo
se encamina por la senda del mal,
¿qué debe hacer?
Amarlo más que nunca.

El Talmud

Aquel que vive en nuestra mente, está cerca aunque
realmente esté lejos; pero aquel que no está
en nuestro corazón, está lejos aunque en la realidad
esté cerca de nosotros.

Chanakya

¿Quién puede jactarse de no tener defectos?
El que examina los suyos aprende
a perdonar los ajenos.

Metastasio

No te regocijes cuando cae tu enemigo y no
dejes que tu corazón se alegre cuando tambalea.
Si tu enemigo tiene hambre, dale de tu pan,
y si tiene sed, comparte tu agua con él.

El Talmud

¿Por qué, cuando nace un niño,
no se le miran más que los miembros,
los ojos, las orejas y los dedos?
¿Por qué no nos preocupamos igualmente
de su espíritu?

Jerry Lewis

La sonrisa
es el idioma universal
de los hombres inteligentes...

Víctor Ruiz Iriarte

Bendito sea el amor que nos une,
y que no permitirá que nos separemos;
nuestros cuerpos pueden alejarse a gran distancia,
pero seguiremos siendo un solo corazón.

Charles Wesley

Si se habla y actúa con espíritu sereno, entonces
la felicidad nos sigue como la sombra
que no nos abandona.

Buda

Las bendiciones son bendiciones
para quienes las pronuncian, y las maldiciones
son maldiciones para quienes las dicen.

Sabiduría Judía

La más dulce de las palabras son aquellas
que se expresan más con los ojos
que con los labios...

Amado Nervo

Con hermosas palabras se pueden
hacer negocios, pero con hermosos hechos
se engrandece a la gente.

Confucio

Dos cosas importantes son:
interesarse sinceramente por las personas,
y ser amables con ellas. He descubierto
que la amabilidad lo es todo en la vida...

Isaac Singer

Bienvenido...
el Nuevo Milenio !

Al Comenzar un Nuevo Día...

uando la aurora llegue y comience un nuevo día, buscad un momento de paz para escuchar a vuestra alma.

Profundizad en vosotros mismos hasta donde ella mora, y escuchadla. Captad su vibración primera, la más bella melodía que interpreta el alma.

Allí en lo profundo de vosotros mismos sólo existen Voluntad... Amor... Sabiduría...

Allí sólo encontraréis lo bueno y lo perfecto. Y eso es lo que sois en vuestra esencia.

Tomad lo mejor de lo que allí palpita, lo mejor de vosotros mismos, y volved para empezar con ello el nuevo día.

Entonces serán tres veces buenos los frutos que trae cada día pues llevarán la savia pura de vuestra mejor esencia.

Así, buscad en cada día la esencia buena que atesora vuestro espíritu, allí en lo más profundo de vosotros mismos, sazonad con ella vuestros frutos. Y vive este día como el mejor de tu vida.

Concentra todas tus energías en vivir intensamente estas pocas horas que tienes por delante. Desde que la aurora te despierta hasta que el descanso reparador te llama.

Olvida el ayer y deja el mañana para su momento. Olvida tus errores pero recuerda la experiencia.

Y si has de recordar, recuerda sólo cosas buenas que iluminen este día. Porque es necio llevar a cuestas hoy la carga del ayer.

Vive plenamente este día, porque el hoy es el más hermoso don que tienes. Porque... la vida es un eterno presente. Y haz de cada día tuyo una oración a la vida. Al amor, a la alegría. Un himno al todo creador.

En la Jornada

Cuando estés en la jornada de la vida diaria, sé consciente, caminante, de cada uno de tus pasos. Al transitar por los caminos que trae cada día.

Escucha en cada momento de la jornada diaria, la voz del **Yo soy** consciente que te habla en cada latido de tu corazón. En cada mirada tuya, en cada sonido.

Ella susurra en el aire que respiras y habla a tus oídos en todo cuanto te rodea.

Escúchala en medio del tumulto y la agitación de la vida diaria; nunca te olvides de ella.

Ella es fuente de sabiduría y de fuerza, y sólo te pide que escuches un instante cada día.

Ten los oídos siempre atentos a la voz de la sabiduría interna, y abierto el corazón a la reflexión profunda.

El hombre vive en pensamiento, palabra y obra.

Dale entonces un por qué a cada uno de tus pensamientos, a cada una de tus palabras, a cada una de tus obras.

Que ellos sean fruto de tu voluntad y lleven la savia de tu conciencia.

Tú no eres la piedra inerte que yace en el camino, ni las hojas secas que arrastra el viento.

Tú eres libre, pues tu voluntad te guía.

La vida es una constante oportunidad de ser mejores. En las pequeñas cosas, en el trato con vuestros semejantes, en vuestros pensamientos, en vuestras palabras, en vuestras obras.

En la lucha por la vida. En cada momento de la jornada diaria.

...Caminante, sé consciente de tus pasos.

Al Final de la Jornada

Y al final de la jornada. Cuando el día ha terminado y busquéis descanso para el cuerpo, dedicad unos momentos de vuestro tiempo para examinar vuestra conciencia.

Revivid en vuestra mente lo vivido en el día que termina. Lo bueno y lo malo que habéis hecho. Vuestros pensamientos, vuestras palabras, vuestras obras. Y aprended de todo ello.

Al valorar vuestros actos, pensamientos y palabras no lo hagáis en el fiel de la balanza humana, id al juez que en vosotros mora, aquel que os conoce y lo sabe todo de vosotros.

Y él dará la sentencia justa y sabia. Con la voz de la conciencia que habla al corazón. Aquella que hablará por vosotros al final de la jornada.

Y no os lamentéis del mal que podáis haber hecho, porque eso destruye. Mas aprended sí, y enmendad vuestros errores. Así vuestra experiencia crecerá y los errores cometidos no volverán a serlo.

No es error caer en falta, sino el volver a caer en ella repetidas veces. Porque entonces no podéis ya decir que ignorabais.

Y aún mayor error es no saber levantarse cuando se ha caído, porque eso es cobardía. Así, no lamentéis vuestros errores y empezad de nuevo. Porque la vida es un eterno comienzo. Al final de un horizonte siempre hay otro nuevo, y donde termina un camino empieza otro.

Y extraed lo mejor de lo bueno que habéis hecho, para guardarlo como un tesoro en vuestro corazón. Acumulad allí tales tesoros, y seréis ricos. Y nadie podrá quitaros tal riqueza, ni aún la muerte que destruye la materia.

Porque esa riqueza es del espíritu, y estará allí donde estéis vosotros. Y en verdad, es la única riqueza que podéis llevaros de este mundo.

No atesoréis pues riquezas en vuestras arcas de oro. Porque no habrá de mirar allí el Padre en la hora de las cuentas, sino en las arcas del alma.

Analizad vuestras obras de cada día, y aprended de ellas. Y conoceréis así un poco de vuestra naturaleza, y llegaréis al *conocimiento de vosotros mismos.*

Y así cada día vuestro hoy será mejor que vuestro ayer, y mañana mejor que hoy. Y si en verdad sois sinceros con vosotros mismos. Cada día seréis mejores de lo que sois.

Vuestra vida es como un lienzo en el que grabáis vuestras obras. Creáis colores, matices... y trazáis líneas con vuestros pensamientos y obras. Y cada uno de ellos deja su huella en el libro de la vida.

...Y al final de la jornada, cuando termine vuestro paso por la tierra os detendréis en el umbral del mundo a contemplar vuestra obra. Y veréis reflejada en ella todo cuanto hicisteis.

Vuestros más recónditos pensamientos, vuestras más silenciosas palabras, vuestros más nimios actos, habrán dejado su huella en el libro de la vida.

Ved qué habéis puesto y habréis de poner en vuestro lienzo, porque de todo eso seréis vosotros mismos los jueces.

Y no hay en verdad juez más severo que el hombre cuando se juzga a sí mismo, ni peor infierno que aquel creado por su conciencia.

Porque el Padre nos ama por encima de todo.

Ayer, Mañana y Hoy

ay dos días en cada semana que no deben preocuparnos, dos días que no deben causarnos ni tormento ni miedo.

Uno es ayer con sus errores e inquietudes, con sus flaquezas y desvíos, con sus penas y tribulaciones. Ayer se marchó para siempre y está ya fuera de nuestro alcance.

Ni siquiera el poder de todo el oro del mundo podría devolvernos el ayer. No podremos deshacer ninguna de las cosas que ayer hicimos; no podremos borrar ni una sola palabra de las que ayer dijimos. Ayer se marchó para no volver.

El otro día que no debe preocuparnos es el mañana con sus posibles adversidades, dificultades y vicisitudes con sus halagadoras promesas o lúgubres decepciones. Mañana está fuera de nuestro alcance inmediato.

Mañana saldrá el sol, ya para resplandecer en un cielo nítido o para esconderse tras densas nubes, pero saldrá. Hasta que no salga no podemos disponer de mañana, porque todavía mañana está por nacer.

Sólo nos resta un día, hoy. Cualquier persona puede confrontar las refriegas de un solo día y mantenerse en paz. Cuando agregamos las cargas de esas dos eternidades, ayer y mañana, es cuando caemos en la brega y nos inquietamos.

No son las cosas de hoy las que nos vuelven locos. Lo que nos enloquece y nos lanza al abismo es el remordimiento o la amargura por algo que aconteció ayer y el miedo por lo que sucederá mañana.

De suerte que nos conformaremos con vivir un solo día a la vez para mantenernos saludables y felices.

Robert I. Burdette

("El Día Dorado")

unca creas feliz a nadie que esté pendiente de la felicidad. Se apoya en una base frágil quien pone su alegría en lo que sucede: el goce que viene de fuera, a fuera se irá.
Por el contrario, aquel que nace de uno mismo es fiel y firme, y crece, y nos acompaña hasta el fin.

Lucio Anneo Séneca

Cuando la lucha de un hombre
comienza dentro de sí,
es hombre vale algo

Talmud

No te pongas en el camino de la tentación:
ni siquiera el rey David pudo resistirla.

Talmud

Para conseguir la paz interior hay que renunciar
al puesto de gerente general del Universo.

L.E.

Ni siquiera un ángel
puede hacer dos cosas al mismo tiempo.

Midrash

Desiderata

Vive plácidamente entre el bullicio y la prisa, y ten presente la paz que puedes hallar en el silencio.

Hasta donde te sea posible hacerlo sin capitular, vive en buenas relaciones con todos.

Expresa serena y claramente todo lo que tengas por verdad, y escucha a los demás, incluso a los necios y a los ignorantes, que también ellos tienen algo que decir.

Evita el trato con las personas ostentosas e imperativas, que conturban el espíritu.

Si das en compararte con los demás, podrías amargarte y envanecerte, pues siempre encontrarás personas que valen más que tú así como otras que son menos.

Disfruta de tus logros como de tus proyectos.

Que el interés por tu carrera aunque sea muy humilde, se mantenga vivo; en los vaivenes que el tiempo obra en la fortuna tu carrera es un verdadero tesoro.

Procede con cautela en los negocios, pues en el mundo abunda el engaño; pero que ello no te ciegue en sus virtudes. Muchos son los que persiguen nobles ideales, y en todas partes la vida es rica en hechos heroicos.

Muéstrate tal como eres. Sobre todo no finjas el afecto que no sientes. Tampoco mires el amor con cinismo, pues, contra toda manifestación de aridez y desencanto, el amor posee la perennidad de la hierba.

Atiende gustosamente a lo que te dice el paso de los años y renuncia con gracia a los goces propios de la juventud.

Cultiva un ánimo esforzado que te escude contra la adversidad, por repentina que sea pero no perturbes tu espíritu con fantasías. Muchos temores nacen de la fatiga y de la soledad. Acompaña la saludable disciplina con la dulzura para contigo mismo.

Al igual que los árboles y las estrellas, tú también eres una de las criaturas del universo; ¡Tienes derecho a estar aquí! Y aunque no te lo parezca es indudable... que el universo se desarrolla como ha de hacerlo.

Por lo tanto vive en paz con Dios, sea cualquiera la forma que lo concibas; y cualesquiera que sean tus tareas y tus aspiraciones, consérvate en paz con tu alma en la turbulenta confusión de la existencia.

El mundo a pesar de todas sus simulaciones, de sus penalidades y sus sueños frustrados; es hermoso.

Sé prudente. Esfuérzate en ser feliz.

Pergamino hallado en 1692
en la vieja iglesia de Saint Paul
Baltimore - USA

Sé atrevido y valiente. Cuando vuelvas la vista atrás, lamentarás más las cosas que no hayas hecho que aquellas que hiciste.

Marden

La perfección... No tiene límites.

Richard Bach

Hoy te Hablaré de la Felicidad

La felicidad no es un camino, no es un lugar, ni un metal precioso que con dinero se puede comprar.

Felicidad es una flor a la orilla de un río, felicidad es una puesta de sol, es la llegada del otoño, la caída de las hojas... es mil cosas pequeñas y hermosas. No tiene nombre, fecha, ni edad; simplemente es, porque la felicidad está puesta dentro de nosotros, y no hay que buscarla, sólo descubrirla y disfrutarla. No hay más secreto que ese.

Hay gente que se pasa la vida buscando la felicidad, esperando ser felices, y al final acaba su vida y se dan cuenta de que desperdiciaron mil momentos para ser felices en su desesperada búsqueda de la felicidad.

Comprende, pues, que no hay mayor secreto para ser feliz que buscar la felicidad en tu corazón y vivirla cada minuto de tu vida. No esperes a mañana para ser feliz. Di: Hoy seré feliz y ¡sé feliz! Vive alegre, en paz contigo y con Dios, ama a los demás, sé simple y serás feliz.

Camina de la mano con la vida, no delante de ella ni detrás; deja que las cosas vengan como deben venir, no las llames o las detengas, sólo espéralas en paz y acéptalas tal como vienen. No te inquietes por nada ni pierdas tu paz por nadie, solamente envuélvete en ella y ama, eso sí, nunca dejes de amar, porque entonces habrás perdido lo más valioso de tu existencia y el real sentido de tu felicidad completa. Desde lo más profundo de su corazón.

Antar-Sherat

El hombre fue creado el sexto día;
por eso no debe sentirse muy orgulloso,
pues el mosquito fue creado antes que él.

Sabiduría Judía

El principio es ser uno mismo.
Si sientes el impulso por conocer a alguien,
manifiésteselo. Si le gusta, alguien, demuéstreselo.
No tiene sentido simular sobre este punto.

Judy Kuriansky

Ojo a las situaciones inesperadas
¡En ellas se encierra nuestra gran oportunidad!

Pulitzer

Quien gasta más de lo que tiene, alguno roba...

Benjamín Franklin

Ni aún permaneciendo sentado
junto al fuego de su hogar puede el hombre
escapar de la sentencia de sus obras...

Esquilo

Un desengaño a tiempo
es un don inapreciable del cielo...

Henry Ford

Dentro de Ti

 Busca dentro de ti la solución de todos los problemas, incluso de aquellos que creas más exteriores y materiales.

Aun para abrirte un camino en la selva virgen, aun para levantar un muro, aun para tender un puente, has de buscar antes en ti el secreto.

Dentro de ti están tendidos ya todos los puentes. Todas las arquitecturas están ya levantadas en tu interior.

Pregunta al arquitecto escondido: él te dará sus fórmulas.

Y sabrás lo esencial de todos los problemas y se te enseñará la mejor de todas las fórmulas y se te dará la más sólida de todas las herramientas.

Y acertarás constantemente, pues dentro de ti llevas la luz misteriosa de todos los secretos.

Amado Nervo

Deben saber, amigos míos,
que una de las fuentes más puras de la felicidad,
la tienen en su casa, entre la familia,
entre sus muebles, entre sus libros.

W. Stevens

Si no puedes encontrar la verdad en el lugar donde estás, ¿dónde más esperas encontrarla?

Maestro Dogen

uando más llena está la luna, comienza a menguar, y cuando está más negra, comienza a crecer.

El evocar este proverbio me ha permitido a menudo mantenerme ecuánime, no sólo ante las dificultades o la desdicha, sino ante cualquier ráfaga de inesperada buena fortuna que hubiera podido exaltarme demasiado. Nos sirve de consuelo y esperanza en la certeza de que aun las horas más negras de nuestras dolencias e infortunios llegarán a su fin, pero es a la vez advertencia de que no se deben sobreestimar las glorias pasajeras de la opulencia, el poderío o algún golpe extraordinario de buena fortuna.

Es consuelo y advertencia no sólo para el individuo sino también para los gobiernos, las naciones y sus dirigentes: un brevísimo compendio de todo lo que la historia y la experiencia humana nos enseña.

Y más aún, podríamos decir que es un eco de la ley y el orden que rigen la estabilidad del universo.

Vicki Baum

Este instante no volverá a repetirse jamás; por lo tanto, todo el bien que pueda hacer, toda la bondad que pueda demostrar a un ser humano, debo hacerlo ahora. No he de diferirlo ni descuidarlo porque no volverá a presentarse jamás.

Thomas de Kempis

A los que buscáis la vida, os lo ruego, ¡no perdáis el momento presente!

Taisen Deshimaru

No tuve Tiempo...

Un hombre muy sabio decía: La gran línea divisoria entre el éxito y el fracaso se encierra en tres palabras: No tuve tiempo.

En medio del frenético ritmo de la vida moderna nos parece con frecuencia, que los días no tuvieran horas suficientes para realizar nuestras aspiraciones y entonces renunciamos a ellas.

El mundo sin embargo, está lleno de personas que a fuerza de voluntad han encontrado la manera de destinar una hora diaria por lo menos a cultivar por sí mismas su facultad creadora. Es más, he observado que los individuos con mayor número de ocupaciones, suelen ser los que se arreglan para disponer diariamente de una hora para disfrutar de su soledad.

Quien dedique aunque sólo sea una hora al día, a algún proyecto para él apasionante le estará destinando 365 horas al año. O sea, el equivalente de más de 45 jornadas de trabajo, de 8 horas diarias cada una.

Esto es como agregar un mes y medio de vida productiva a cada año de nuestra existencia. Reconozco que no es cosa fácil.

Se necesita voluntad, primero para darse esa hora y para luego utilizarla sabiamente. Lo más importante es que nuestras horas de soledad, sean productivas y así puede serlo aunque a veces únicamente nos proporcione un sentimiento de bienestar.

Anónimo

Hay una sola razón por la cual usted no experimenta la felicidad en este instante, y es porque está pensando o concentrándose en lo que no tiene... En este momento usted tiene todo lo que necesita para estar feliz.

Anthony de Mello, S.J.

Cuando le preguntaron a Alejandro Magno cómo conquistó el imperio de los persas, contestó: "No dejando nunca para mañana o pasado lo que era posible hacer en el presente".

Marden

Cualquiera sea nuestra situación hagamos de la vida una fiesta de esperanza...

un anhelo....

Si alguna vez fuéramos tan desafortunados de tenerlo todo, seríamos espectadores, y no participantes de la vida.

William Kirkland

El secreto de conseguir hechas las cosas es: ¡Hágalo ahora! Ahora es el tiempo de actuar. Ahora es el tiempo de ser feliz.

Fritz Perls

No os precipitéis, que así llegaréis más pronto.

Virgilio

Este Día es la Vida

Este día es la vida,
la esencia misma de la vida.
En su breve curso están todas las verdades
y realidades de tu existencia:

La bendición del desarrollo.
La gloria de la acción.
El esplendor de las realizaciones.

Porque el ayer es sólo un sueño.
Y el mañana sólo una visión.
Pero... el hoy bien vivido
hace de todo ayer un sueño de felicidad
y de cada mañana una visión de esperanza.

¡Cuida bien, pues, este día!

Kalidasa

Si nos ocupamos del hoy,
Dios se ocupará del mañana.

Mahatma Gandhi

Cinco cosas revelan la ignorancia de un hombre:
Cuando monta en cólera por causas triviales;
Cuando habla inútilmente cuando no debe;
Cuando se hace el generoso fuera de lugar;
Cuando desconfía de todo el mundo sin razón alguna;
Cuando se halla incapaz de distinguir entre amigos
y enemigos...

Confucio

¡Oh gran Espíritu! cuya voz escucho en los vientos, cuyo respiro da vida a todo el mundo, escúchame:

Yo llego a ti, uno entre tus tantos hijos; soy pequeño y débil. Necesito tu fuerza y sabiduría.

Deja que camine en la belleza y que mis ojos guarden el rojo y púrpura del sol que se pone.

Haz que mis manos sepan respetar las cosas que creaste, y mis oídos sean abiertos para escuchar tu voz.

Hazme sabio, para que pueda comprender las cosas que enseñaste a mi pueblo, la lección escondida en cada hoja y piedra.

Busco la fuerza, no para ser superior a mis hermanos, si no para ser capaz de luchar contra mi más grande enemigo: yo mismo.

Hazme siempre listo a llegar a ti, con manos limpias y mirada recta, así cuando la vida desvanezca como un sol que se pone, mi espíritu llegue a ti sin vergüenza.

Oración de los Indios
"Piel Roja" de Norteamérica

El Hombre debe comprender que nada realmente es sino que todo cambia constantemente. Nada permanece inmóvil. Todo nace, crece y muere. En el mismo instante que algo alcanza su pico máximo, comienza a declinar. La Ley del ritmo está en continuo funcionamiento. No existe la realidad. Nada posee una propiedad de duración ni substancialidad. Lo único permanente es el cambio. El Hombre debe comprender que todas las cosas son producto de la evolución de otras, una incesante acción o reacción, un construir o un derribar, creación o destrucción, nacimiento, crecimiento y muerte. Nada es real, y nada subsiste excepto el cambio.

La Cábala

Despierto en este nuevo día
con la energía de los Cielos:
luminosidad del sol, resplandor de la luna,
brillo del fuego, velocidad del rayo,
rapidez del viento, profundidad del mar,
estabilidad de la tierra, firmeza de la roca.

San Patricio (siglo V)

Abrase al sol de la Existencia pura
como una flor en botón se abre a la luz,
y entonces la verdad se vertirá en usted.
¡La impaciencia arruina todo!
Las estrellas, los soles y las lunas
no tienen impaciencia.
Silenciosamente siguen
la corriente de la existencia pura
y es lo que hace también el hombre sensato...

Sabiduría Bâül

Si las semillas sembradas en la tierra negra
pueden llegar a convertirse en rosas tan bellas.
¿Qué no puede llegar a ser el corazón del hombre en
su largo camino hacia las estrellas?...

Chesterton

Hay que bailar todos los días,
aunque sólo sea con el pensamiento.

Rabbi Nachman de Breslau

Vive la tarde. No puedes llevártela contigo.

Annie Dillard

Bondad

y

Ternura

Decálogo de Ternura

Todos tenemos necesidad de dar y recibir amor. Si no hacemos así, la vida se oscurece.

2. Para vivir la ternura no se necesitan grandes cualidades. Basta decir con espontaneidad el amor, sin avergonzarse.

3. La verdadera ternura se conjuga en voz activa y voz pasiva. No sólo hay que darla sino recibirla con espontaneidad y alegría.

4. La ternura debe expresarse con naturalidad y en todo momento, pero sobre todo en los momentos tensos y difíciles.

5. La ternura no es amanerada ni trivial. Menos aún no se compagina con la agresividad.

6. Vivir la ternura no significa ser débil, manejable, sino generoso y acogedor. La ternura no se riñe con la energía.

7. La ternura no es exclusiva de la relación madre hijo. La familia, los hermanos y compañeros agradecen también este sentimiento.

8. A ser tierno, se aprende cada día con amor. Nunca es tarde para empezar a practicarla.

9. No confunda nunca la sexualidad con la ternura. Si bien es difícil entender la verdadera sexualidad sin ternura.

10. Dar, expresar, acoger y recibir ternura es siempre muestra evidente de madurez.

Anónimo

A contacto del amor
todo el mundo se vuelve poeta.

Platón

Las palabras deshonran cuando no llevan detrás un corazón limpio y entero. Las palabras están de más, cuando no fundan, cuando no esclarecen, cuando no atraen, cuando no añaden.

José Martí

La tarea del amor consiste en curar.
Cuando fluye sin esfuerzo
desde las profundidades del ser,
el amor produce salud.

Deepak Chopra

Hay grandes hombres
que hacen a los demás sentirse pequeños.
Pero la verdadera grandeza consiste
en hacer que todos se sientan grandes.

Charles Dickens

Todo el mundo necesita un abrazo.
Así cambia el metabolismo.

Leo Buscaglia

Nada embellece más que el amor.

Louisa May Alcott

Senderos a la Felicidad

 Al abrir los ojos por la mañana, dígase a sí mismo: ¡Qué maravilloso es estar con vida! Este día me debe ir mucho mejor que ayer.

2. Nunca se olvide de que usted controla su propia vida. Convénzase: "Yo estoy a cargo de lo que me pase, yo soy el único responsable".

3. Alégrese cuando se dirija a su trabajo. Siéntase feliz de contar con un empleo en estos tiempos de crisis económica.

4. Aproveche al máximo sus ratos de ocio. No se siente, ni empiece a flojear cuando puede estarse divirtiendo o disfrutando de algún pasatiempo.

5. No se deje agobiar por sus problemas económicos. Para los más de nosotros, que no podemos darnos el lujo de ser extravagantes, sencillamente ahorrar dinero para adquirir un artículo de lujo puede darnos un sentimiento de gran satisfacción.

6. No se compare con los demás, la gente que lo hace tiende a la melancolía.

7. Sea menos crítico. Acepte sus limitaciones y las de sus amigos. Concéntrese en sus habilidades y en las de ellos.

8. Mejore su sentido del humor. No se tome demasiado en serio, trate de encontrarle el lado humorístico a los momentos de adversidad.

9. Tome su tiempo. No trate de hacer todo a la vez.

10. Sonría más, más a menudo, a más gente.

Anónimo

No es posible tocar el pétalo de una flor
sin que se estremezca una estrella...

Rabindranath Tagore

Un viejo rabino preguntó cierta vez a sus alumnos cómo podían ellos decir que la noche había terminado y que el día había comenzado.

"¿Podría ser -preguntó uno de los alumnos- cuando al ver un animal de lejos, se puede decir si es una oveja o un perro?"

"No", respondió el rabino.

Otro preguntó: "¿Es cuando, al ver un árbol de lejos, se puede distinguir entre una higuera y un peral?"

"No", respondió el rabino.

"Entonces ¿cuándo es?", preguntaron los alumnos.

"Es cuando puedes mirar a cualquier hombre o mujer y ver que es tu hermano o tu hermana. Porque si no puedes ver esto, aún es de noche".

Cuento Hasídico

Hay una vieja historia acerca de un hombre que escribió al Ministerio de Agricultura de su país para averiguar qué podía hacer con la mala hierba que estaba acabando con su jardín. El Ministerio le hizo unas cuantas sugerencias. El hombre las ensayó todas, pero no pudo eliminar por completo la mala hierba. Exasperado, volvió a escribir al Ministerio anotando que todos los métodos sugeridos habían fallado. Su césped seguía plagado de maleza. Obtuvo una breve respuesta: *Le sugerimos que aprenda a quererla*.

Robert H. y Jeanette C. Lauer

El Placer de Servir

Toda la naturaleza es un anhelo de servicio. Sirve la nube, sirve el viento, sirve el surco. Donde haya un árbol que plantar, plántalo tú; donde haya un error que enmendar, enmiéndalo tú; donde haya un esfuerzo que todos esquivan; acéptalo tú.

Sé el que apartó la piedra del camino, el odio entre los corazones y las dificultades de un problema.

Hay la alegría de ser justo; pero hay, por sobre todo, la hermosa, la inmensa alegría de servir.

¡Qué triste sería el mundo si todo él estuviera hecho, si no hubiera un rosal que plantar, una empresa que emprender!

Que no te llamen solamente los trabajos fáciles. ¡Es tan bello hacer lo que otros esquivan!

Pero no caigas en el error de que sólo se hace mérito con los grandes trabajos; hay pequeños servicios que son inmensos servicios: adornar una mesa, ordenar unos libros, peinar un niño, en tu hogar.

Aquél es el que critica, éste es el que destruyè; tú sé *el que sirve.*

El servir no es faena sólo de seres inferiores. Dios, que da el fruto y la luz, sirve. Pudiera llamársele así: *El que sirve.*

Y tiene sus ojos fijos en nuestras manos y nos pregunta cada día:

¿Serviste hoy? ¿A quién? ¿Al árbol, a tu amigo, a tu madre?

Gabriela Mistral

Si quieres que impere la paz en el mundo
debes tener paz en tu hogar,
y para que la paz reine en tu hogar,
debes primero vivirla en tu corazón.

Proverbio Chino

No se puede juzgar apresuradamente a nadie. Muchos se han arruinado por juzgar apresuradamente.

Brian Weiss

Entonces Pedro se acercó y le dijo:

"Señor, ¿Cuántas veces debo perdonar las ofensas de mi hermano? ¿Hasta siete veces?".

Jesús le contestó: "No digas siete veces, sino hasta setenta veces siete".

Mateo 18: 21-22

Cada ser humano es un representante de toda la humanidad. Cuando ocurre un cambio en la conciencia de un hombre se produce un cambio en la conciencia de toda la humanidad.

Paracelso

Acción de Gracias

Es maravilloso, Señor, tener los brazos abiertos cuando hay tantos mutilados.

Mis ojos ven, cuando hay tantos sin luz.

Mi voz que canta, cuan-do hay tantas, tantas que enmudecen.

Mis manos que trabajan, cuando hay tantas que mendigan.

Es maravilloso volver a casa, cuando hay tantos que no tienen a donde ir.

Es maravilloso, amar, vivir, sonreír, soñar, cuando hay tantos que lloran, odian y se revuelven en pesadillas y tantos que mueren antes de nacer.

Es maravilloso tener un Dios en quien creer, cuando hay tantos que no sienten consuelo, ni tienen Fe.

Es maravilloso, Señor, sobre todo, ¡tener tanto que agradecerte!

Anónimo

"Quizá venga un tiempo de dicha y de gracia, en que unidas todas las razas humanas, se digan los hombres: No hay muros ni vallas, tu Dios es mi Dios, mi patria es tu patria..."

En el muro de una prisión
(Quito - Ecuador)

Recorre a menudo la senda que lleva al huerto de tu amigo, no sea que crezca la maleza y te impida ver el camino.

Proverbio Indio

No indignarse, no lamentarse, sino comprender.

Juan Matus

Fracaso Significa...

Fracaso no significa que estamos derrotados; significa que hemos perdido sólo una batalla.

Fracaso no significa que no hemos logrado nada; significa que hemos aprendido algo.

No significa falta de capacidad; significa que debemos hacer las cosas de manera diferente.

No significa que hemos perdido nuestra vida; significa que tenemos buenas razones para empezar de nuevo.

No significa que debemos echarnos atrás; significa que debemos luchar con mayor ahínco.

No, no significa que jamás logremos nuestra meta; significa que tardaremos un poco más en alcanzarlas.

Fracaso no significa que Dios nos ha abandonado; significa que Dios tiene una idea mejor.

Anónimo

Perdonar es mirar al futuro, y no guardar recuerdos del pasado. Perdonar es ser optimista, y creer que la vida y las personas tienen todavía muchas posibilidades. Para perdonar no hace falta abrazar, ni siquiera saludar. Basta mirar con amor y sonreír. La sonrisa es a veces el mejor abrazo. Quien sonríe así, sinceramente, pone en esa sonrisa lo mejor de su alma que perdona...

Pascal

¿Qué es la Vida?

La vida es un desafío...	Afróntalo.
La vida es un don...	Acéptalo.
La vida es una pena...	Supérala.
La vida es un juego...	Diviértete.
La vida es un deber...	Cúmplelo.
La vida es un viaje...	Efectúalo.
La vida es una belleza...	Alábala.
La vida es una meta...	Alcánzala.
La vida es una tragedia...	Encárala.
La vida es un acertijo...	Resuélvelo.
La vida es un misterio...	Desentráñalo.
La vida es una canción...	Interprétala.
La vida es una promesa...	Cúmplela.
La vida es una oportunidad...	¡Aprovéchala!

Anónimo

Ese Hussein Aga era un hombre santo. Un día, me sentó sobre sus rodillas, y puso su mano sobre mi cabeza como si me diera su bendición. "Alexis, me dijo, voy a confiarte algo. Eres muy pequeño para comprender, pero cuando seas más grande comprenderás. Oyeme, mi niño: Ni las siete escalas del cielo, ni las siete escalas de la tierra pueden contener al buen Dios. Pero el corazón del hombre lo contiene. Entonces cuídate Alexis, de no herir jamás el corazón del hombre".

Niko Kazantzakis

Las cosas que se han de hacer
no se han de decir...

Baltasar Gracián

Tienes una protección completa a tu alcance:
El Silencio.

A. R. Orange

Del mismo modo que una caldera sin escapes comprime el vapor y lo hace más poderoso, así también guardar silencio acerca de lo que pensamos hacer nos da a nosotros más fuerza...

Arjan Sahib

Las palabras son como las hojas. Cuando abundan poco fruto hay entre ellas.

Pope

La más dulce de las palabras son aquellas que se expresan más con los ojos que con los labios...

Amado Nervo

Uno es dueño de lo que calla... y esclavo de lo que habla.

Lao - Tse

"**H**iciste bien, mamá, al revelarme desde mi más tierna infancia la inocencia de los miserables".

Anatole France

El silencio es el elemento en el cual se forman las más grandes cosas y debe ser el principio y el fin de toda realización......

Jorge Adoum

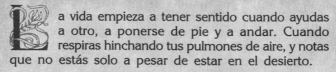La vida empieza a tener sentido cuando ayudas a otro, a ponerse de pie y a andar. Cuando respiras hinchando tus pulmones de aire, y notas que no estás solo a pesar de estar en el desierto.

Cuando miras al cielo y ves las estrellas que dominan el firmamento, comprendes que no estás solo, comprendes que la vida es mucho más que el simple palpitar de tu corazón.

La vida tiene sentido cuando andas, cuando evolucionas, y no dejas tras de ti amargura. Cuando tras de ti has dejado alegrías, cuando has dejado amigos y hermanos, cuando has dejado un grato recuerdo en todo aquel que te ha conocido, es cuando la vida tiene sentido. Si tras de ti has dejado odio, ésas serán las raíces que darán en el futuro frutos amargos; si la planta que crece tiene raíces de amor, los frutos serán dulces y serán tu alimento en el andar de cada día.

Apoya tu mano sobre el hombro de aquellos que andan contigo, porque si te sientes débil ellos te cogerán, y si te sientes fuerte andarás más de prisa.

No te ates a las alabanzas. El que te quiere no te alaba, te apoya sin palabras. Sabrás quien es el que te quiere cuando te veas reflejado en él. Busca tu gloria en la gloria de los demás, y los demás buscarán su gloria en ti.

Si hablas a los demás, que tu palabra sea limpia; pero no hables con orgullo, porque hacerlo es hablar con falsedad.

Usa todo lo que la naturaleza pone a tu alcance. No malgastes tu tiempo. Tienes poco tiempo; justo el que estás disfrutando ahora. Trata de conocerte. Usate. No te malgastes. No te mal utilices. Busca dentro de ti la solución a tus problemas. Si tienes que atarte, átate a ti mismo.

No culpes a los demás de tus propios errores. Sé

tu propio juez; pero un juez justo. Si andas por un bosque ten cuidado, porque habrá ramas bajas, te puedes golpear contra esas ramas. No es necesario que las cortes, simplemente agáchate un poco para volver a levantarte inmediatamente, la rama quedará frustrada en su intento de dañarte.

No pronuncies la palabra ¡Imposible! porque todo es posible dentro de ti si vas dirigido positivamente, si vas dirigido negativamente, poco a poco te irás hundiendo; conseguirás tal vez logros parciales, inmediatos, pero te estarás hundiendo. Si vas positivamente, quizás los logros sean más a largo plazo, pero te estarás elevando.

Sólo pasa hambre el que no sabe que tiene dos manos. Si alimentas tu cuerpo para que te sirva, debes también alimentar tu Alma, para que también te sirva. Un alma poco alimentada es un alma débil, sin fuerza. Un alma bien alimentada es un alma que genera energía, que contagia, que anima. Cuida bien todas aquellas cosas que afectan la evolución de tu alma.

Nunca hables con miedo, porque las palabras se volverán contra ti. Si tienes miedo no hables, porque el miedo es también contagioso. Habla mirando a los ojos, transmite tu fuerza en tu mirada.

Si quieres saber cómo es Dios mira volar un ave, mira crecer una flor, mira a los astros moverse, y verás que en ellos se expresa la perfección.

Anónimo

Se Puede Aprender a Escuchar

Tenga interés y demuéstrelo. Cuando se demuestra verdadero interés y una viva curiosidad, se alienta a los demás a hablar con libertad. El interés también agudiza nuestra atención.

2. Armonice. Trate de entender el punto de vista, las suposiciones, necesidades y creencias de la otra persona.

3. Tenga paciencia. No se apresure a sacar conclusiones. Permita que la otra persona termine de hablar. Prepare su respuesta sólo después de cerciorarse de que ha comprendido.

4. Busque las ideas principales. Evite que la distraigan los detalles. Concéntrese en la idea principal.

5. Esté atento. A menudo, la gente habla para "descargarse". Es posible que el mensaje principal sean los sentimientos de la persona, y no los hechos.

6. Controle sus propios sentimientos y puntos de vista. Todos escuchamos de forma distinta. Nuestras convicciones y nuestras emociones filtran y en algunos casos llegan a falsear lo que oímos. Tenga conciencia de sus propias actitudes, prejuicios, creencias y reacciones emotivas al mensaje.

7. Note el lenguaje no hablado. Un encogimiento de los hombros, una risa nerviosa, los gestos, las expresiones del rostro y las posiciones del cuerpo dicen una enormidad. Comience a "leerlos".

8. No prejuzgue. A menudo tomamos parte en una conversación con una opinión ya formada, por lo menos parcialmente, basándonos en nuestra experiencia anterior. Estos prejuicios pueden impedir que recibamos nuevos mensajes.

9. Practique escuchar. Oír es algo pasivo. Nuestro sistema nervioso hace todo el trabajo. Escuchar es algo activo. Requiere prestar atención, y por lo tanto es un esfuerzo mental. Escuchar es una habilidad, y por lo tanto se puede aprender a escuchar.

10. Busque confirmación. Asegúrese de que realmente está escuchando. Haga una pregunta. Confirme con la otra persona lo que ésta acaba de decir.

Dr. Wakin

Lo que no se Debe Olvidar...

El día más bello...	Hoy
El mejor destino...	El Trabajo
Los mejores maestros...	Los Hijos
El más grande defecto...	El Egoísmo
Lo más maravilloso...	El Amor
El sentimiento más vil...	La Envidia
La peor bancarrota...	El Desaliento
El regalo más hermoso...	El Perdón
El mejor predicador...	El Ejemplo
El mejor maestro...	El Dolor
El mejor libro...	El Mundo
El mejor gobierno...	El Dominio de sí mismo
La mejor filosofía...	Estar en Paz con la Conciencia
La mejor ocupación...	Difundir Felicidad a Nuestro alrededor
La mejor ingeniería...	Tender un puente sobre el río de la muerte
El mejor arte...	Grabar en la memoria cosas bellas
El milagro más grande...	Tú.

El Poder del Pensamiento

Si piensas que estás vencido, vencido estás;
Si piensas que no te atreves, no lo harás;
Si piensas que te gustaría ganar, pero que no puedes, no lo lograrás;

Si piensas que perderás, ya has perdido; porque en el mundo encontrarás que el éxito comienza con la voluntad del hombre.

Todo está en el estado mental; porque muchas carreras se han perdido antes de haberse corrido; y muchos cobardes han fracasado antes de haber su trabajo empezado.

Piensa en grande y tus hechos crecerán; piensa en pequeño y quedarás atrás;

Piensa que puedes y podrás; todo está en el estado mental.

Si piensas que estás aventajado, lo estás; tienes que pensar bien para elevarte;

Tienes que estar seguro de ti mismo antes de intentar ganar un premio;

La batalla de la vida no siempre la gana el hombre más fuerte o el más ligero;

Porque, tarde o temprano, el hombre que gana... Es aquel que cree poder hacerlo.

Dr. Christian Barnard

Conócete a ti mismo
y conocerás tu lugar entre el Universo
y los dioses.

*Inscripción en el frontis
del Templo de Delfos*

xiste un poder supremo que llena el universo y predomina en él. Cada uno de nosotros es una parte de este poder.

Y como parte que somos de este poder, tenemos la facultad, por medio de la plegaria o demanda y del constante y ardientísimo deseo, de atraernos cada día más las cualidades propias y características de este poder.
"Todo pensamiento nuestro es una cosa real y es una fuerza" (Repitamos esta frase con la mayor frecuencia que nos sea posible).

Todo pensamiento nuestro construye en realidad para nuestro bien o para nuestro mal, algo que se desarrollará inmediatamente o en el futuro.

Preguntar a uno lo que está pensando en determinado momento, preguntarle si llenan su mente pensamientos de alegría o de tristeza, si piensa bien o mal de los demás es lo mismo que preguntarle: "¿Qué estás haciendo por tu vida de mañana? ¿Cómo será tu existencia futura?".

Prentice Mulford

Nada es imposible,
a menos que uno esté de acuerdo en que lo es.

Og Mandino

De vez en cuando, salga y tome un descanso,
porque así, cuando vuelva a trabajar,
su juicio será más certero.
Si trabaja constantemente perderá la objetividad.
Aléjese un poco, para que el trabajo parezca
menos y pueda abarcarlo de una ojeada; entonces
apreciará mejor si le falta armonía o proporción.

Leonardo da Vinci

Para Contribuir a la Paz

Propuesta 1: No espere que el mundo se adapte a usted. Mírese en el espejo. Cambie lo que le disgusta en su propia persona. No se empeñe en cambiar a los demás.

Propuesta 2: Busque en sus semejantes ayuda, consejo, ideas y fuerza. No sea demasiado orgulloso para pedir ayuda. Agradezca los favores que le hacen.

Propuesta 3: Mejore su capacidad de juicio y no sea impulsivo. Contemple a las personas y las cosas con objetividad y comprensión, antes de formarse una opinión sobre ellas.

Propuesta 4: Evite la terquedad y los prejuicios. No trate de imponer a otros sus opiniones intransigentes y reaccionarias sobre la religión, la política, la alimentación o la medicina. Resista la tentación de aferrarse a su opinión, una vez expresada.

Propuesta 5: Sea siempre tolerante y comprensivo.

Propuesta 6: Evite todo lo que pueda dar ocasión a disputas. Preste atención a la luz roja que le indica que es mejor no llevar adelante la conversación.

Propuesta 7: Puede usted hablar sobre cosas, pero no sobre personas. A fin de evitar en la conversación los escollos de la maledicencia, limítese a hablar en lo posible de cosas y deje de lado las personas.

Propuesta 8: No hiera a otras personas con observaciones y comparaciones despectivas.

Propuesta 9: Respete los sentimientos de los demás... Eduque su instinto para conocer lo que les gusta y lo que les disgusta.

Propuesta 10: No exteriorice nunca su aburrimiento. Si el ambiente no es de su agrado, busque un pretexto para despedirse cortésmente.

Anónimo

El hombre es lo que cree ser, no lo que dice ni le dicen. Con la idea y la voluntad puede transformar por completo cualquier situación, puede libertarse de cualquier cadena, ya sean las de la pobreza, las del pecado, las de la mala salud, las del miedo y las de la infelicidad.

Ella Wheeler Wilcox

Cuántas veces he oído decir a un escritor:
"Quisiera escribir tal libro,
pero la vida que llevo no me lo permite".
Es cierto.
Pero si quisiera de verdad escribir el libro,
la vida que llevaría sería diferente.

André Maurois

Cuando alguien, que de verdad necesita algo,
lo encuentra,
no es la casualidad quien lo procura,
sino él mismo. Su propio deseo
y su propia necesidad le conduce a ello...

Hermann Hesse

Para lograr algo en tu vida
imagina que ya lo tienes.
Sostén ese pensamiento.
Sólo ese pensamiento.
Ese único pensamiento.
Tal como lo imaginas se materializará...

Richard Bach

Si no eres feliz... El culpable eres tú...

Epicteto

"Quiero" Palabra Mágica

El mundo está lleno de mediocres, son personas con carreras truncadas y peor todavía: de pobres seres humanos abandonados al vicio, porque no han conocido la fuerza, la magia de la palabra llamada **"¡Quiero!"**.

"Quiero", es la aceptación por parte de la voluntad de lo que le presenta el intelecto como bueno y conveniente, lo que supone una previa reflexión de la meta que uno se propone y los obstáculos a vencer.

"Quiero" es la palabra mágica que rompe cadenas, acorta distancias, derrumba muros, así sea el de Berlín o la Muralla China; da ánimo para escalar la más alta montaña, y sostiene al caminante en la travesía del árido desierto.

"Quiero", es el deseo vehemente, la férrea determinación de ser alguien, de lograrlo, de llegar a algún sitio. Es la palabra que no busca pretextos, que no se detiene ante un puente caído, ante un árbol en el camino, ante una puerta cerrada, ante la fuerte lluvia no se deja amedrentar por los relámpagos.

"Quiero", es la palabra que ante un rotundo "No", trabaja como cincel en la roca, hasta dejar una huella. Es la palabra que ha hecho de un vicioso, un hombre de bien; de un alcohólico, un abstemio; del parrandero, un hombre de hogar.

Y esta palabra mágica **"Quiero"**, seguirá sacando a muchos de la pobreza, de la miseria y del anonimato, para colocarlos entre los grandes de la historia.

Juan Manuel Torres

i difieres de mí, hermano,
lejos de perjudicarme, me enriqueces.
Antoine De Saint-Exupéry

Virtud es amar a los hombres.
La sabiduría consiste en comprenderlos...
Confucio

Los ideales son como las estrellas.
No lograremos tocarlos con las manos,
pero al navegante en la inmensidad del océano
le sirven de guía para llegar a su destino.
Carlos Shur

No es la Montaña lo que conquistamos,
sino a nosotros mismos.
Edmund Hillary

La gota horada la piedra
no por su fuerza sino por su constancia.
El Corán

Los que reparten sus bienes, se hacen más ricos;
los que roban lo ajeno están siempre en la miseria.
Proverbios

Dentro suyo hay una tranquilidad y un santuario
al que puede retirarse siempre que quiera,
y ser usted mismo.
Hermann Hesse

Por qué discutir;
vale más escuchar.
Lao-Tse

La gente es irrazonable, ilógica y egoísta. Amala, de todas maneras. Si triunfas, ganarás falsos amigos y verdaderos enemigos. Triunfa, de todas maneras.

Si haces el bien, la gente te acusará de tener motivos egoístas. Haz el bien, de todas maneras.

La honradez y la franqueza te vuelven vulnerable. Sé honrado y franco, de todas maneras.

El bien que hoy hagas se olvidará mañana. Haz el bien, de todas maneras.

La gente más grande, con las ideas más grandes, puede ser aniquilada por la gente más pequeña, con la mente más pequeña. Piensa en grande, de todas maneras.

Lo que has tardado muchos años en construir, puede desaparecer de la noche a la mañana. Construye, de todas maneras.

Da al mundo lo mejor de ti mismo, y recibirás a cambio un puntapié. Da al mundo lo mejor de ti mismo, de todas maneras.

Response

Tienes que darte cuenta de que tú puedes. Tienes que tener fe en la única persona a la que tal vez, nunca has escuchado... A Ti.

Empieza a creer en Ti, y verás cómo tus sueños se pueden convertir en realidad. Tienes Poder, Sabiduría y Amor ilimitados a tu disposición.

María

Antes de juzgar al prójimo, pongámosle a él en nuestro lugar, y a nosotros en el suyo; y a buen seguro que será entonces nuestro juicio recto y creativo.

San Francisco de Sales

Todas las desarmonías de la vida, sus discordias y asperezas tienen su origen dentro de nosotros y no fuera. La mente de los sentidos nos inclina a buscar la causa fuera; pero la Enseñanza Interna nos dice que busquemos dentro. El hombre sencillo hecha la culpa a la vida o al destino; a sus iguales o a Dios y muy a menudo se siente muy quejoso y amargado por ello. Cuanto más busca la causa fuera de él y cuanto más culpa a los demás, tanto peores son sus dificultades, tanto más discordante se vuelve su vida. La causa de la discordia no está en los demás o en las circunstancias externas; no está en el destino; no es la venganza de Dios.

Thomas Hamblin

Un maestro de gimnasia me ejercita,
endureciendo mi cuello, mi espalda, mis brazos,
y ordenándome ejercicios penosos.
"Levanta este peso con las dos manos", me dice.
Y cuanto mayor es el peso, más mis nervios se
fortifican. Lo mismo es un hombre que
me maltrata e injuria; me ejercita en la paciencia,
en la clemencia, en la dulzura, ejercicio,
por lo menos tan útil como el primero.

Epicteto

El hombre amado por una mujer es en verdad
afortunado, pero al que hay que envidiar
es al que ama, por poco que se le corresponda.

Eric Berne

Los que se adelantan, precipitadamente,
retrocederán, todavía, más deprisa.

Proverbio Chino

Al hablar bien de los demás,
hablas bien de ti mismo.

José Agustín Rojas

Qué es el "Ser Excelente"

Ser excelente es hacer las cosas, no buscar razones para demostrar que no se pueden hacer.

Ser excelente es comprender que la vida no es algo que se nos da hecho, sino que tenemos que producir las oportunidades para alcanzar el éxito.

Ser excelente es trazarse un plan y lograr los objetivos deseados a pesar de todas las circunstancias.

Ser excelente es saber decir: "Me equivoqué" y proponerse no cometer el mismo error.

Ser excelente es levantarse cada vez que se fracasa, con un espíritu de aprendizaje y superación.

Ser excelente es reclamarse a sí mismo el desarrollo pleno de nuestras potencialidades, buscando incansablemente la realización.

Ser excelente es entender que a través del privilegio diario de nuestro trabajo podemos alcanzar la realización.

Ser excelente es ser creador de algo, un sistema, un puesto, una empresa, un hogar, una vida.

Ser excelente es ejercer nuestra libertad y ser responsable de cada una de nuestras acciones.

Ser excelente es levantar los ojos de la tierra, elevar el espíritu y soñar con lograr lo imposible.

Ser excelente es trascender a nuestro tiempo legando a las futuras generaciones un mundo mejor.

Miguel Angel Cornejo

Las lágrimas son sagradas. No constituyen un signo de debilidad, sino de fuerza. Transmiten con mayor elocuencia que mil estrofas juntas un mensaje de dolor indecible, de profundo arrepentimiento o de amor inefable.

Washington Irving

Cuando usted habla mucho, sus palabras no tienen peso...

Gurdjieff

Enseña a tu boca a decir "no sé", para que no tenga que inventar y caer en una trampa.

Sabiduría Judía

Quizás no querrás creerlo: si quieres llegar a rico, lo principal no es que sepas ganar sino que sepas ahorrar.

Benjamín Franklin

El hombre que sabe gastar y ahorrar es el más feliz, porque disfruta con ambas cosas.

Samuel Johnson

El que busca un amigo sin defectos se queda sin amigos.

Sabiduría Oriental

Allá lejos donde brilla el sol están mis supremas esperanzas, tal vez no las alcance... pero puedo ver su belleza, creer en ellas, y tratar de seguir el camino que me enseñan...

Mahatma Gandhi

Reglas Para Ser Humano

ecibirás un Cuerpo.
Puede gustarte o no, pero será tuyo durante todo el tiempo que estés aquí.

2. Aprenderás Lecciones.
Estás inscripto en una escuela informal de tiempo completo llamada vida. En esa escuela cada día tendrás la oportunidad de aprender clases. Es posible que las lecciones te gusten o que te parezcan irrelevantes y tontas.

3. No Hay Errores, Sólo Lecciones.
El crecimiento es un proceso de prueba y error: es una experimentación. Los experimentos fallidos forman parte del proceso en igual medida que el experimento que funciona bien.

4. Una Lección se Repite Hasta aprenderla.
Una lección se presenta de varias maneras hasta que la aprendas. Una vez que la hayas aprendido, puedes pasar a la siguiente.

5. Las Lecciones no Tienen fin.
No hay nada en la vida que no contenga sus lecciones. Si estás vivo, siempre tendrás algo para aprender.

6. "Allí" no es Mejor que "Aquí".
Cuando tu "allí" se convierte en un "aquí", simplemente tendrás otro "allí" que de nuevo parecerá mejor.

7. Los Otros no son más que tus espejos.
No puedes amar u odiar algo en otra persona a menos que refleje algo que amas u odias en ti mismo.

8. Lo que haces de tu vida depende de ti.
Tienes todas las herramientas y los recursos que necesitas. Lo que hagas con ellos depende de ti. La decisión es tuya.

9. Tus respuestas están dentro de ti.
Las respuestas a las interrogantes de la Vida están en tu interior. Todo lo que debes hacer es mirar, escuchar y confiar.

10. Olvidarás todo esto...
...Mas siempre que quieras, podrás recordarlo.

Anónimo

Para tener una idea de lo que es la paciencia,
basta con observar a un niño
que aprende a caminar.
Se cae, vuelve a caer, una y otra vez,
y sin embargo sigue ensayando, mejorando,
hasta que un día camina sin caerse.
¡Qué no podría lograr la persona adulta si tuviera
la paciencia del niño y su concentración
en los fines que son importantes para él!

Erich Fromm

El mejor predicador, es el corazón;
el mejor maestro, es el tiempo;
el mejor libro es el mundo;
tu mejor amigo... ¡Tú!

Papini

Pena y alegría dependen más de lo que somos
que de lo que nos sucede.

Multauli

La victoria fue siempre para quien jamás dudó.

Aníbal

El ideal está en ti. Pero, el obstáculo
para su cumplimiento también está en ti...

Ana Pavlova

En la vida se ve uno a veces ante la disyuntiva
de complacer a Dios o complacer al prójimo.
A la larga conviene más lo primero,
pues Dios tiene mejor memoria.

Harry Kemelman

Un salto a medias te lleva a la zanja.

Proverbio Irlandés

Hoy sé que lo más valioso de mi vida fueron sus penalidades. La brega por salir de la pobreza creó fuerzas de incalculable utilidad. Quien ha vencido tantos obstáculos, se siente superior a la adversidad; se acostumbra a ver a las dificultades más bien como estímulos que como trabas.

Luchar, vencer a sí mismo y vencer a las circunstancias hostiles. El hombre que lo es, debe obligarle al mundo a darle lo que quiere. Siempre ha habido hombres que han hecho eso; que, resistiéndose a darse por vencidos, han creado todas las cosas valiosas de las que hoy disfrutamos.

Thomas Edison

Esté siempre alegre. Ninguna senda será más fácil de seguir, ninguna carga más ligera de llevar, ninguna sombra del corazón y de la mente más fácil de eliminar, que para una persona decidida a sentirse alegre...

Willils

Las circunstancias están fuera del control del hombre, pero su conducta está en su poder...

Disraeli

A donde quiera que vayamos nos acompañan nuestros defectos y virtudes...

Nina Wilcox Putman

Puede que veinte golpes de martillo no logren romper una piedra: quizás el golpe 21 lo logre. ¿Pero significa esto que los veinte golpes no fueron de utilidad alguna? No, cada uno de ellos contribuyó con su parte al éxito final; el resultado final fue el efecto acumulado de todos los 21 golpes.

Sai Baba

No digas que te falta tiempo. Tienes exactamente la misma cantidad de horas por día que las que recibieron Helen Keller, Pasteur, Miguel Angel, la Madre Teresa, Goethe.

H. Brown, Jr.

Aunque es sumamente difícil lograrlo, sé ahora que lo importante es no arredrarse por nada que ocurra en nuestra mente: sentimientos, pensamientos, humor, fantasías, sueños, depresión.

Nuestro temor los hace sagrados. Si los aceptamos se disipan rápidamente y lo que tratamos de abatir o reprimir y pretendemos desconocer surge a plena luz de la conciencia. Podemos entonces afrontar nuestro estado y resolver con franqueza las verdaderas causas de la depresión.

Isaac Rubín

Cualquier actividad se vuelve creativa cuando el que la realiza se preocupa por hacerla bien o mejor.

John Updike

Con el tiempo aprendes la sutil diferencia que hay entre tomar la mano de alguien y encadenar a un alma.

Y aprendes que el amor no significa apoyarte en alguien, y que la compañía no significa seguridad.

Y empiezas a entender que los besos no son contratos, ni los regalos, promesas.

Y empiezas a aceptar tus derrotas con la cabeza en alto, con los ojos bien abiertos, con la compostura de un adulto; no con el rostro compungido de un niño.

Y aprendes a construir todos tus caminos en el hoy, porque el terreno del mañana es demasiado incierto para hacer planes.

Con el tiempo, aprendes que incluso los agradables rayos del sol queman, si te expones a ellos demasiado.

Por lo tanto, siembra tu propio jardín y adorna tu propia alma, en vez de esperar que alguien te lleve flores.

Y así aprenderás que en realidad puedes sobrellevarlo todo... que en verdad eres fuerte. Y que en realidad vales mucho.

Anónimo

Nada ha cambiado, excepto mi actitud...
Por eso, todo ha cambiado.
- La iluminación -
Anthony de Mello-S.J.

No son las malas hierbas
las que ahogan la buena semilla,
sino la negligencia del campesino...

Confucio

El centro de la mujer es la ternura;
Su corona imperial la inteligencia;
Su mejor galardón un alma pura;
Y el amor, la razón de sus existencia.

Kahlil Gibrán

Sin fe, se puede perder un juego
cuando ya está casi ganado.

Paulo Coelho

Hemos de tratar de ser felices,
aunque sólo sea por poner el ejemplo.

Jacquies Prévert

Guíate por el corazón mientras vivas.
Aprende del ignorante tanto como del sabio.

Sabiduría Egipcia

Esclavo se hace quien adquiere deudas...

Benjamín Franklin

Los ríos hondos corren en silencio,
los arroyos son ruidosos...

Proverbio Hindú

El hombre superior ama su alma,
el hombre inferior ama su prosperidad...

Lin Yutang

¡Conquístate a Ti Mismo!

Hoy deseo sugerirte que hagas una experiencia contigo mismo, para beneficio de tu propia vida y de los que te rodean.

Se trata de que te decidas a pensar y actuar durante sólo una semana: "Hoy seré feliz. Expulsaré de mi espíritu todo pensamiento triste. Me sentiré alegre. No me quejaré de nada Hoy agradeceré a Dios la alegría y felicidad que me regala.

Trataré de ajustarme la vida. Aceptaré el mundo como es y procuraré encajar en este mundo. Si sucede algo que me desagrada, no me mortificaré ni me lamentaré, más bien agradeceré ser feliz. Hoy quiero ser dueño de mis nervios, de mis impulsos, pues para triunfar debo superarme, debo tener el dominio de mí mismo.

Trabajaré alegremente, con entusiasmo, haré de mi trabajo una diversión. Comprobaré que soy capaz de trabajar con alegría. Resaltaré mis éxitos grandes o pequeños y no pensaré en mis fracasos.

Seré agradable. No criticaré a nadie. Olvidaré los defectos de los demás y concentraré mi atención en sus virtudes. No envidiaré nada. Tendré presente que muchos no tienen lo yo tengo y que el destino feliz pertenece a los que luchan y que el futuro se resolverá en función de la actuación de mis Hoy.

No pensaré en el pasado negativo. No guardaré rencor y practicaré el perdón".

¡Qué lindos pensamientos! No son míos, pero valió la pena leerlos ¿verdad? Si los pones en práctica esta semana, te aseguro que realmente has emprendido la escalada de tu propia conquista, el mundo estará en tus manos y tu horizonte empezará a florecer increíblemente.

Anónimo

Tu pasaje por el camino de este planeta es Evolución. Recuerda, pues, que hay cuatro rocas sobre las cuales alzarás tu templo y éstas son: Querer... Atreverse... Saber... Callar...

Debes saber también que no sólo eres responsable por tu evolución, sino por la de todo ser humano. Todo hombre es tu hermano.

La herramienta es siempre el amor y con ella en tus manos no existen los imposibles.

Que Dios te bendiga. Que la paz sea contigo. Que la luz triunfe sobre las tinieblas.

Iván Trilha

Hasta cierto momento en la vida de un hombre, lo que más influye en él es el ambiente, la herencia y los movimientos y cambios que tienen lugar en el mundo que lo rodea.

Viene después el tiempo en el que le toca moldear el barro de su vida para darle la forma que desea.

Sólo el débil culpa a sus padres, a su raza, a su época, a la mala suerte o a los caprichos del destino. Todos tenemos el poder de decir:

Hoy soy esto; **Mañana seré aquello.**

Louis L'Amour

¿Qué ésta es una mala época? Pues bien, estamos aquí para hacerla mejor.

Thomas Carlyle

Pensar Bien es Crear

Siempre que salga al aire libre, retraído el mentón, y erguida la cabeza, llene los pulmones hasta donde le sea posible. Beba el sol. Salude a sus amigos con una sincera sonrisa y en cada apretón de manos, ponga el alma. No tema ser mal comprendido y no desperdicie un solo minuto en pensar en sus enemigos. Busque la forma de determinar firmemente la idea de lo que desea hacer, y entonces, vaya directamente hacia la meta.

Mantenga fija su atención en las cosas grandes y espléndidas que le gustaría hacer, ya que a medida que pasen los días, observará que, inconscientemente, aprovecha todas las oportunidades requeridas para el cumplimiento de su deseo, igual que el zoofito del coral obtiene de la marea los elementos que necesita. Fíjese la idea de la persona capaz, dinámica, útil que desea ser, y esa idea lo transformará hora tras hora en esa persona. Supremo es el pensamiento. Observe la actitud mental adecuada: la actitud del valor, la franqueza y el buen talante.

Pensar bien es crear: Todas y cada una de las cosas se realizan a través del deseo y todas las plegarias sinceras tienen respuesta.

Llegamos a identificarnos con las ideas que se fijan en nuestros corazones. Así, pues, retraiga el mentón, yerga su cabeza: todos somos dioses en estado de crisálida.

Helbert Hubbard

La belleza del hombre, está en sus actos.
Dante Murr

Una mañana de principios de primavera conocí a un granjero entrado en años. Había estado lloviendo bastante, y comenté al respecto que sin duda esas lluvias tempraneras beneficiarían mucho a los cultivos. Mi interlocutor repuso: "No; si el tiempo favorece mucho a los sembradíos ahora, es probable que las plantas echen raíces superficiales, y entonces cualquier tormenta podría destruir la cosecha. En cambio, cuando al principio la situación no resulta tan fácil para las plantas, necesitan echar raíces fuertes y profundas que les permitan llegar hasta donde haya agua y alimento. Así, en caso de tormenta o de sequía, tendrán más probabilidades de sobrevivir".

Ahora, gracias a esas reflexiones, considero las épocas malas una oportunidad de echar raíces que me permitan capotear las probables tormentas en el futuro.

Jerry Stemkoski

La paciencia es la parte más delicada digna de la
grandeza del alma, y también la más escasa.
La paciencia está en la raíz de todo.
La misma esperanza deja de ser felicidad
cuando va acompañada de la impaciencia...

Ruskin

Sé firme en tus actos, pero tranquilo en tu corazón.
Sé estricto contigo mismo pero gentil con tu prójimo.

Confucio

Si tratamos de mejorar a otro
dándole buen ejemplo,
estaremos mejorando a dos personas.
Si lo Intentamos sin que pongamos el ejemplo
nosotros mismos
no habremos mejorado a ninguno.

James Thom

¿Deseas Comenzar de Nuevo toda tu Vida...?

Pues no esperes más. Eres tan capaz como cualquier otro ser humano.

Disminuye tu ración de alimentos a la mitad. Es suficiente. Que tu alimento sea natural. Camina el doble. Haz algo con tus manos. Destruye todo lo que tu cerebro está produciendo y reconstrúyelo totalmente nuevo.

Habla lo menos posible, sobre todo de ti mismo y de la vida privada de las demás personas. No te entrometas en la vida de los que te rodean. Vive tu propia vida. Deja que cada cual viva su propia vida. No eres dueño de nadie. Nadie es dueño de ti. El amor no nos da derechos ni deberes.

Escucha a todos, pero no sólo con los oídos sino también con tus sentimientos, si es que no has permitido que esta civilización torpe te los haya destruido por completo (tanto los oídos como los sentimientos).

Mira a solas frecuentemente la amplia línea donde la tierra se une con el cielo, así no te olvidas de que todavía es posible esa unión.

No busques ver nada. Mira atentamente con espontaneidad todo aquello que vaya surgiendo en cada uno de los momentos.

No busques escuchar nada. Escucha con tranquilidad todo lo que forma parte de la confusión, el chisme, el ruido y la trivial frivolidad que te rodea. El silencio también puede curarte.

Piensa si todo lo que posees es realmente necesario para tu supervivencia. Piensa por qué no eres capaz de gozar con la simple satisfacción de tus necesidades.

Piensa alguna vez muy seriamente si algo de lo que haces (o la manera en que lo haces) está destruyendo tu serenidad y tu alegría. Recuerda que tu tranquilidad y tu capacidad de gozar son muy importantes para el bienestar de los que te rodean.

Acepta a todos tal cual son, no pretendas cambiar a nadie, pero no temas ser diferente a ellos. No busques causas para alegrarte de estar vivo. Comienza todo de nuevo. ¿Dónde comenzar, sino contigo mismo?

Adelante. Puedes hacerlo. Puedes hacerlo. No argumentes. Dentro del próximo minuto sé un humano. ¡Salta! ¡Ya mismo!

Rafael Tramy

Nunca ha habido
entre los setenta mil millones de seres humanos
que han caminado sobre el planeta
desde que este fue creado,
un ser que haya sido exactamente igual a ti.

Nunca, hasta el fin del mundo,
habrá otro igual a ti.
Eres una creación única en el mundo.
Eres único en tu clase.
Único entre los únicos.
Poseedor de cualidades en mente,
habla, movimiento, apariencia y acciones
que nunca tuvo otro ser que haya vivido,
viva o viviere.

¿Por qué te valoras en centavos cuando tu valor es
más grande que la riqueza del más opulento rey?

Og Mandino

Ninguna victoria vale el sacrificio de los ideales.

H. Jackson Brown

No es, que no nos atrevemos porque las cosas son difíciles, sino, que, ellas son difíciles porque no nos atrevemos.

Séneca

Si queréis algo, poco importa cuánto tiempo, cuántas vidas, necesitaréis para lograrlo. Lo importante es intentarlo, y volverlo a intentar, hasta que alcancéis vuestra meta.

Denise Desjardins

Seas quien fueres o lo que hagas, si deseas algo con firmeza, es porque ese deseo nació antes en el alma del Universo. Y es tu misión en la Tierra.

Paulo Coelho

Obsérvese la diferencia entre lo que pasa cuando un hombre se dice: "He fallado tres veces", y lo que ocurre cuando declara: "Soy un fracasado".

S. Hayakawa

Los sueños tienen un precio. Hay sueños caros y baratos, pero todos tienen un precio.

Paulo Coelho

El fracaso no te alcanzará si tu determinación de triunfar es lo suficiente poderosa...

Og Mandino

El Hombre

y La Mujer

El Hombre y la Mujer

El hombre es la más elevada de las criaturas. La mujer es el más sublime de los ideales.

Dios hizo para el hombre un trono; para la mujer un altar. El trono exalta; el altar santifica.

El hombre es el cerebro, la mujer el corazón; el cerebro fabrica la luz; el corazón produce el amor. La luz fecunda; el amor resucita.

El hombre es fuerte por la razón; la mujer es invencible por las lágrimas. La razón convence; las lágrimas conmueven.

El hombre es capaz de todos los heroísmos; la mujer de todos los martirios. El heroísmo ennoblece; el martirio sublimiza.

El hombre tiene la supremacía; la mujer la preferencia. La supremacía significa la fuerza; la preferencia representa el derecho.

El hombre es un genio; la mujer un ángel. El genio es inmensurable; el ángel indefinible.

La aspiración del hombre es la suprema gloria. La aspiración de la mujer es la virtud extrema; la gloria hace todo lo grande; la virtud hace todo lo divino.

El hombre es un código; la mujer un evangelio. El código corrige; el evangelio perfecciona.

El hombre piensa; la mujer sueña. Pensar es tener en el cráneo una larva; soñar es tener en la frente una aureola.

El hombre es un océano; la mujer es un lago. El océano tiene la perla que adorna; el lago la poesía que deslumbra.

El hombre es el águila que vuela; la mujer es el ruiseñor que canta. Volar es dominar el espacio. Cantar es conquistar el alma.

El hombre es un templo; la mujer es el sagrario. Ante el templo nos descubrimos; ante el sagrario nos arrodillamos.

En fin: el hombre está colocado donde termina la tierra; la mujer donde comienza el cielo.

Víctor Hugo

Busco un Hombre

i búsqueda no es sencilla; a mi paso he visto a muchos hombres pero aún continúo en mi pesquisa, porque lo que yo deseo es, solamente, un Hombre.

Un Hombre tan seguro de sí que no tema mi plena realización como mujer y que jamás me considere su rival, sino que seamos eternos compañeros el uno para el otro.

Un Hombre que conozca mis errores, los acepte y me ayude a corregirlos; que sepa reconocer mis valores espirituales y que sobre ellos me ayude a construir mi mundo.

Un Hombre que con cada amanecer me ofrezca una ilusión. Que alimente nuestro amor con delicadeza; para quien una flor entregada con un beso, tenga más valor que una joya enviada con un mensajero.

Un Hombre con el que pueda hablar, que jamás corte el puente de comunicación y ante quien me atreva a decir todo lo que pienso, sin temor a que me juzgue o a que se ofenda. Y que sea capaz de decírmelo todo, inclusive que no me ama.

Un Hombre que tenga siempre los brazos extendidos para que yo me refugie en ellos cuando me sienta amenazada o insegura. Que conozca su fortaleza y mi debilidad, pero que jamás se aproveche de ellas.

Un Hombre que tenga abiertos los ojos a la belleza, a quien lo mueva el entusiasmo y ame intensamente la vida. Para quien cada día sea un regalo inapreciable por disfrutar plenamente, aceptando el dolor y la alegría con igual serenidad.

Un Hombre que sepa ser siempre más fuerte que los obstáculos, que no se amilane ante la derrota y para quien aun los contratiempos sean estímulo y no adversidad.

Un Hombre que se respete a sí mismo, porque así sabrá respetar a los demás. Que no recurra jamás a la burla ni a la ofensa, gestos que rebajan más a quien los envía que a quien los recibe.

Un Hombre que disfrute dando y sepa recibir. Y que disfrute de cada minuto como si fuera el último.

Cuando lo encuentre lo amaré intensamente.

...Una Mujer

Porque Eres...

Simple como la música.
Dulce como el néctar de la miel.
Pura como el rocío.
Alegre como un día de sol.
Humilde como la flor.
¡Sincera siempre!
Bella y hermosa como el paisaje.
Profunda como el valle.
Tranquila como el río.
Fuerte como la roca.
Pacífica como el aire.
Y unida a tus semejantes
como una gran familia.

Anónimo

Despertarse al amanecer con un alado corazón
y dar gracias por otro día
y meditar el éxtasis de amar.
Volver al hogar al atardecer con gratitud. Y dormir
con una plegaria por el amado en el corazón.
...Y una canción de alabanza en los labios.

Kahlil Gibrán

En balde buscas hechiceras para que te quieran
bien; yo te mostraré un encantamiento eficacísimo:
Ama y serás amado.

Séneca

Una mujer que ama transforma el mundo.

Jaques de Bourbon-Busset

Llegaste

Llegaste ¿Cómo y cuándo?
No sé la hora ni el instante preciso,
pero llegaste a mi camino...
serena, sin rumor ni estruendo.
Como se inicia el alba, como empieza el rocío
a formarse en el cáliz de las flores,
como empieza la estrella a afirmarse
en los cielos del crepúsculo. Así fue.

Entre el polvo de mi sendero abrupto y solitario
silenciosamente te colocaste a mi vera.
No supe que eras tú,
mas yo sentía más firme ahora mi báculo,
más fuerte y más ligero el pie,
más puro el aire, más ancho el horizonte,
y menos fatigosa la jornada.

Empecé a ver que el polvo del camino
se me iba haciendo polvo de oro, al sol de aquella
tu presencia misteriosa.

G. Báez

¿Quién puede romper el lazo
de dos corazones
o desunir los tonos
de un mismo acorde?

Schiller

No se mide el amor
por el número de caricias,
sino por la frecuencia
con que uno y otro
se comprenden.

H. Spencer

Si el hombre que me desposara fuera avaro,
nuestra unión encajaría mal,
porque yo soy de naturaleza generosa
en dádivas y regalos, y sería vergonzoso
para mi marido que yo fuera más generosa que él,
mientras que nada deshonroso habría
si ambos fuéramos generosos por igual.

Si mi marido fuera miedoso,
nuestra unión no encajaría mejor,
puesto que yo sola me basto
para detener las querellas, las luchas y las disputas,
y sería un deshonor para mi esposo
que su mujer fuera más intrépida que él,
mientras que nada deshonroso
habría si ambos fuéramos intrépidos por igual.

Si el hombre que me desposara fuera celoso,
tampoco encajaríamos bien,
pues siempre ha habido en mi marido
la sombra de otro.

Así pues, hallé el esposo que me convenía,
tú, Ailill, hijo de Ross, el pelirrojo de Leinster.
No eras ni avaro, ni celoso, ni cobarde.

La Razzia des Boeufs de Cualngé (Siglo IX)

La mujer prefiere pobreza con amor
que riqueza sin amor.

El Talmud

Es natural que sea el hombre el que corteja a la
mujer, y no la mujer al hombre.
Porque la mujer fue una parte del hombre
y aquel que perdió busca reponer su pérdida.

El Talmud

Cuál es el más hermoso de los espectáculos?
El rostro de la mujer expresando amor.

¿Cuál es el más suave de los perfumes?
Su aliento dulce.

¿Cuál es el más agradable de los sonidos?
El eco de su voz.

¿Cuál es el más exquisito de los sabores?
El néctar de sus labios.

¿Cuál es el más dulce de los contactos?
El de su cuerpo.

¿Cuál es la imagen más agradable?
Sus encantos.

¿Cuál es la mejor gracia del mundo?
Su belleza.

Sabiduría Hindú

No hay mujer vieja. Toda mujer, a toda edad,
si ama, si es buena,
da al hombre el momento del infinito.
Jules Michelet

Cuando una pareja que vive en su casa de adobe
en el Africa mantiene una relación justa y alegre,
el mundo es un poco mejor gracias a ella...

Mavis y Merle Fossom

Consejo a una joven:
"No busques un hombre viril,
busca un hombro viril".

Chabuca Granda

El matrimonio es una puerta
al cielo o al infierno.

Hugh Prather

La Fuerza de los Sentidos

¿La amas de verdad? ¿Serías capaz de dar tu vida por ella?

Hoy te hablaré sobre las fuerzas del hombre.

Una de las fuerzas más poderosas en el hombre es la **fuerza de sus sentidos**; de aquello que toca y que ve, sus impulsos. Si realmente amamos, nuestros impulsos se tornarán en amor y el amor nada pide a cambio más que el amor mismo.

Si en realidad amas de verdad, convertirás a ese ser amado que simplemente ahora es una flor silvestre, en una rosa única en el mundo, como la rosa del "Principito". El la domesticaba, le daba todo su cuidado para que creciera fresca y hermosa. Igual tendrás que hacer con tu rosa amada, no deberás hacerla objeto de las pasiones de tus sentidos, porque en ese mismo momento que se crucen estas ideas por tu mente, porque sólo existen ahí, en tu mente, ya que en tu alma sólo existe amor; cuando crucen esas ideas, cerrarás los ojos, meditarás y le dirás al Profundo: "¡Oh, Profundo! Amor del Universo. Tú que estás en todo lo profundo y, a la vez, en lo simple, dame fuerzas para amar a esta rosa como Tú nos amas, porque si la amo de otro modo, del modo terreno, me equivocaría y no pasaría de ser una flor silvestre como ha sido siempre. Yo quiero que esta rosa sea única en el mundo. Junto a esta rosa evolucionaré estaré en tu amor profundo. Recién cuando haya logrado dominar mis sentidos empezaré a amar". Porque cuando dos personas realmente se aman, no es necesario dar rienda suelta a vuestras pasiones, porque simplemente se pueden acariciar con sus miradas y con el simple roce de sus manos, nada más es necesario.

Puede haber amores prohibidos para el resto del

mundo, pero el amor realmente puro supera todas las barreras: la del tiempo, la de las gentes con sus críticas, supera a todos aquellos que piensan mal, porque aunque la gente separe a dos cuerpos, jamás separará a dos almas que se aman; porque simplemente con una mirada o simplemente al pensar en la persona amada, se estarán acercando a Dios. Nadie ha podido tender barreras, aún ni siquiera los propios padres o las gentes que llenan sus bocas con críticas porque no comprenden aún lo que es el amor. El amor no tiene edad, ni tiene color, ni raza, ni siquiera estado, el amor es único, es un regalo de Dios y aquel que niegue aceptar este regalo, es un necio; y pobre aquel que impida que este regalo de Dios se realice entre dos seres que se aman, porque su culpa será mayor que la del que vendió al Hijo del Hombre. Por eso deben ser dueños de sus sentidos, porque simplemente amando se liberarán de ellos y surgirá el Profundo... dentro de sus almas.

Que la paz sea con tu alma y que reine siempre en tu corazón la voz musical de vuestro silencio interno unido con el del Padre.

Con amor Divino

Oxalc

De buena gana viviría
en la choza humilde
de una montaña.

Hilaría, cosería y labraría
con cualquier tiempo,
y lavaría en el frío arroyo,
con tal de que viviésemos
juntos.

Poema Japonés

Matrimonio es Amistad

Se sentían atraídos el uno hacia el otro. Se veneraban estéticamente. El, de hermosa estampa. Ella, una hermosa niña. Además, sentían enorme atracción física y, más que eso, necesidad uno de otro.

¿Qué faltaba para un buen matrimonio?

El tiempo reveló que faltaba "amistad". Sabían que lo que sentían era señal de amor cuando, en verdad, era señal de pasión.

La pasión difícilmente logra transformarse en amistad, porque es egoísta, inmediatista y posesiva. Sólo el amor lo consigue, como amistad, porque es altruista, quiere el bien del otro y lo respeta. Por lo mismo, un matrimonio puede estar lleno de pasión y cariño, pero tal vez no satisfaga a ninguno de los dos, porque la pasión y el cariño no siempre significan amistad.

A veces un matrimonio no tiene nada de impetuoso y hasta puede faltarle la gracia de un enamoramiento juvenil; pero si los dos se quieren como amigos sinceros, llegarán a los veinticinco y a los cincuenta años. Marido y mujer que no logran ser amigos, acaban en crueles relaciones y venganzas más crueles aún. Sí, muchos, deciden soportarse en atención a los hijos.

Marido y mujer que logran ser amigos, descubren, con el tiempo, que el eslabón que une el matrimonio más que el deseo, que también debe existir, es el respeto del uno al otro, por su modo de ser y por sus ideas.

Si no existe amistad, difícilmente hay verdadero matrimonio. Matrimonio es amistad: la más profunda posible, pero amistad. Por eso los dos se equivocaron. Pensaban que la amistad era una cosa y el amor, otra.

No entendieron que los grandes amores encierran grandes amistades. No entendieron que es posible ser amigos sin sexo ni matrimonio, pero que es imposible ser marido y mujer de verdad sin amistad.

El mundo está lleno de matrimonios que perdieron la amistad. Por eso su matrimonio perdió la gracia.

P. Zezinho

Toda relación de genuino amor es una relación disciplinada. Si verdaderamente amo a otra persona, ordenaré mi conducta de manera que ella contribuya lo más posible a fomentar su crecimiento espiritual.

El genuino amor con toda la disciplina que requiere, es la única senda de esta vida que lleva a una alegría sustancial. Echese a andar por otro camino y se encontrará gratos momentos de estática alegría, pero serán momentos fugaces, cada vez más engañosos. Cuando amo genuinamente estoy extendiendo mi persona y al extenderme estoy creciendo. El genuino amor se alimenta a sí mismo. Cuanto más promuevo el crecimiento espiritual de otros, tanto más promuevo mi propio crecimiento espiritual. Y a medida que crezco por obra del amor, crece en mí júbilo cada vez más presente.

Scott Peck

Quien encuentra una mujer buena,
encuentra el bien por excelencia
y recibe del Señor una fuente de alegría.

Salomón

Un hombre que no puede tolerar
los pequeños defectos de una mujer,
jamás podrá gozar
de sus grandes virtudes.

Kahlil Gibrán

El matrimonio
es un auténtico
camino espiritual
...y bien profundo.

Hugh Prather

Ley de Oro para que el hombre tenga siempre el cariño de su mujer: Trata siempre a tu mujer como si fuera tu novia, como si recién la conocieras y le declararas tu amor. Mírala siempre como si fuera la primera vez, aquella vez en que te enamoraste de ella.

John Baines

Que cada uno de vosotros sepa tener su propia esposa en santidad y honor.

Séneca

Podrías entregarte a otro, pero nadie te querría más pura y totalmente que yo. Para nadie como para mí sería y siempre será más sagrada tu felicidad. Toda mi experiencia, todo lo que alienta dentro de mí, todo lo más precioso, a ti te lo consagro. Y si trato de engrandecerme, es para merecerte más, para hacerte aún más feliz.

Schiller

Si el cielo con todas sus estrellas y el mundo con todas sus riquezas fueran míos, algo más pediría. Pero si ella fuera mía, me contentaría con un rincón, el más pequeño de la tierra.

Rabindranath Tagore

Joven o vieja, bella o fea, frívola o austera, la mujer sabe siempre el secreto Dios.

Amado Nervo

Cuando un alma encuentra su pareja en la tierra... ...Hay fiesta en el cielo.

Juventud,
Divino Tesoro...

Si Yo Cambiara...

Si yo cambiara mi manera de pensar hacia otros, me sentiría sereno.

Si yo cambiara mi manera de actuar ante los demás, los haría felices.

Si yo comprendiera plenamente mis errores sería humilde.

Si yo deseara siempre el bienestar de los demás sería feliz.

Si yo encontrara lo positivo en todos, la vida sería digna de ser vivida.

Si yo me diera cuenta de que al lastimar ¡El primer lastimado soy yo!

Si yo aceptara a todos como son, sufriría menos.

Si yo amara al mundo... lo cambiaría.

Si yo cambiara... Cambiaría al mundo.

De mí dependen tantas cosas Señor y a veces no me doy cuenta de ello, pienso que las personas son culpables de mis problemas y que las circunstancias me son siempre negativas, sin embargo:

De mí depende la armonía de mi familia.

De mí depende que las pláticas no sean sólo críticas.

De mí depende que la vida de otros tenga sentido.

De mí depende que otros amen a Cristo.

De mí depende que los demás sean generosos, siéndolo yo.

De mí depende que haya simpatía en mi ambiente.

De mí depende no hacer odiosas las cosas de Dios.

De mí depende hacer accesibles las cosas del alma.

Que me percate Señor, de que con mi conducta recta, dulce y llena de amor, todas las cosas pueden cambiar, pueden hacerse más llevaderas, porque cambiando mi vida hacia el amor, ¡cuánto mejoraría mi hogar, mi ambiente, el mundo..!!!

Anamaría Rabatté

Quien conoce a los hombres es inteligente.
Quien se conoce a sí mismo es iluminado.

Quien vence a los otros posee fuerza.
Quien se vence a sí mismo es aún más fuerte.

Quien se conforma con lo que tiene es rico.
Quien obra con vigor posee voluntad.

Quien se mantiene donde encontró su hogar,
perdura largamente.
Morir y no perecer es la verdadera longevidad.

Lao-Tse

Mira –dijo el amigo al amigo sobre el puente–
la dicha de los peces en el río.

Pero el otro dijo: ¿Cómo puedes conocer tú,
que no eres pez, la dicha de los peces en el río?

Respondió: Por mi dicha sobre el puente.

Lanza del Vasto

La riqueza nos influye como el agua del mar:
cuanto más se bebe, más sed nos entra.

Schopenhauer

La historia nos ha enseñado
que basta uno para fomentar la crisis,
pero conservar la paz requiere
el esfuerzo de todos...

Willy Brandt

La felicidad está
a la vuelta de esa esquina
que no doblamos nunca.

José Camón Aznar

Visualización Creativa

La visualización creativa consiste en la técnica de emplear nuestra propia imaginación para crear lo que deseamos en la vida. Se trata de una capacidad natural de imaginación, la energía creativa del Universo que empleamos permanentemente, sin tener conciencia de ello.

La capacidad de imaginar consiste en crear una idea o imagen mental. En la visualización creativa la imaginación se utiliza para generar una imagen clara de algo que deseamos se manifieste. Una vez que esta imagen o idea ha sido creada, nos centramos en ella de forma regular, transmitiéndole energía positiva hasta que se convierte en una realidad tangible. Es decir, hasta que efectivamente conseguimos lo que hemos estado visualizando.

Supongamos que tenemos una relación difícil con alguien y deseamos crear un clima de mayor armonía con esa persona. Pongamos por ejemplo que somos nosotros quienes tenemos el problema.

El punto de partida consiste en relajarse hasta alcanzar un estado mental profundo, sereno y reflexivo. Imaginemos mentalmente que nos relacionamos y comunicamos con esa persona de un modo armonioso y abierto. Tratemos ahora de llevar a nuestro interior la sensación de que esa imagen mental es posible, y procuremos experimentarla como si realmente fuera real.

La repetición de este simple ejercicio dos o tres veces al día, o siempre que el tema aparezca en nuestra mente, contribuirá a que la relación con la otra persona se torne más fácil y fluida. El problema terminará por desaparecer, de un modo u otro, en beneficio de las dos partes.

La visualización creativa no puede ser empleada para intervenir sobre el comportamiento de los demás. Lo que esta técnica consigue es vencer nuestras barreras internas que se encuentran en oposición a la armonía y a nuestra realización, haciendo posible que se manifiesten nuestros aspectos más positivos.

De la Revista "Cuerpo Mente"

El hombre es el único ser de la Naturaleza que tiene conciencia de que morirá.
Aun sabiendo que todo terminará, hagamos de la vida una lucha digna de un ser eterno.

Paulo Coelho

Antes de hablar, considera, primero, lo que tú dices; segundo, por qué lo dices; tercero, a quién lo dices; cuarto, quién te lo ha dicho; quinto, las consecuencias de tus palabras; sexto, qué provecho resultará de éstas; séptimo, quién escuchará lo que digas.

Luego, pon tus palabras en la punta de tu dedo y hazlas girar de estas siete maneras antes de pronunciarlas; y de tus palabras no se seguirá nunca daño alguno.

Les Dictons du sage Cadoc (Siglo VI)

No se es huérfano por haber perdido al padre y a la madre, sino por haber perdido la esperanza.

Sabiduría Africana

Si quieres impresionar, sé breve, las palabras son como los rayos solares. Cuando más concentrados, queman mejor...

Shouthey

La Ternura de los Libros

Tengo amigos cuya sociedad me es en extremo agradable. Son de todas las edades y de todos los países. Se han distinguido, a la vez, sobre el campo de batalla y en el silencio del gabinete, y han obtenido grandes honores por su conocimiento de las ciencias.

Es fácil llegar a ellos, porque siempre están a mi servicio y les admito a mi lado, o los despido cuando me place.

Jamás son inoportunos, y responden a todas mis preguntas. Algunos me refieren los hechos de otros tiempos, otros me revelan los secretos de la Naturaleza.

Estos me enseñan a vivir, aquellos a morir. Unos, con su jovialidad destierran mis cuidados, alegran mi espíritu; otros me dan la fuerza del alma, y me enseñan la importante lección de no contar sino conmigo mismo.

Rápidamente me abren los variados senderos de todas las artes y de todas las ciencias, y puedo fiarme de sus informes, en todas las circunstancias.

A cambio de ello sólo me exigen que les preste una habitación conveniente en un rincón de mi morada, en donde puedan descansar en paz, porque a estos amigos seduce más la paz de un tranquilo retiro que los ruidos del mundo.

Francisco Petrarca

El libro es enseñanza y ejemplo. Es luz y revelación. Fortalece las esperanzas que ya se disipaban; sostiene y dirige las vocaciones nacientes que buscan su camino a través de las sombras del espíritu o de las dificultades de la vida.

Nicolás Avellaneda

Rabí Pinjas dijo a uno de sus discípulos:

-Si el hombre desea llevar por buen camino a la gente de su casa, no debe encolerizarse con ellos. Porque la ira no sólo vuelve impura su alma, sino que transfiere esa impureza a las almas de los que causaron el enojo.

Y dijo también:

-Desde que logré controlar mi cólera, la guardo en el bolsillo. La saco sólo cuando la necesito.

El Talmud

Recogerse dentro de sí mismo cuando los problemas son realmente acuciantes y permanecer así durante el tiempo que duren; seguidamente, reflexionar sobre la manera de superarlos o de resolverlos.

El Talmud

Si encuentro una pradera verde salpicada de margaritas y me siento a la vera de un arroyo cristalino, acabo de encontrar el remedio.

Deepak Chopra

Cualquier cosa que valga la pena hacerse bien, vale la pena hacerla despacio.

Gipsy Rose Lee

"**P**erdimos la guerra", dijo el vencido;
y el vencedor respondió:
"Peor fue cuando perdimos la paz".

Sergio Olarte

Cierto día que subía por un sendero de la montaña, me encontré con un montañés que llevaba una hacha. Lo acompañé un rato y al cabo le pregunté qué iba a cortar. Necesito un trozo de madera para arreglar mi carreta, me dijo. Es preciso que sea la más dura que pueda obtenerse. La que se da en la cima de la montaña, donde son más recias las tormentas, es siempre la más resistente.

Las tempestades rompen y desfiguran, pero también fortalecen, edifican; y de ellas suele brotar una belleza serena e inalterable. La primera hermosura de una niña carece de significado y de permanencia espiritual. No representa esfuerzo alguno, ni decisión, ni lucha. Años más tarde, cuando la niña se ha convertido en mujer, si ha hecho frente a las vicisitudes en forma valerosa, poseerá una belleza que tiene un aura inmortal, ya que habrá echado raíces en el carácter.

Nos inclinamos a lamentarnos de que el mundo no sea mejor. No obstante, el hecho de que nos ofrezca tantos obstáculos nos proporciona la única oportunidad de poner a prueba el espíritu. Las épocas de prosperidad son peligrosas. En ellas el alma se acostumbra al ocio y se anquilosa. Los tiempos de tormenta y de peligro nos hacen descubrir las cualidades que poseemos. Una tempestad es un reto; parece que algo existe en nuestro espíritu que se alza para hacerle frente.

Archibald Rutledge

La vida es el regalo que Dios nos hace.
La forma en que vivas tu vida
es el regalo que le haces a Dios.

Miguel Angel

Vence a la sociedad de consumo
con la austeridad de tu vida.

Vence el conformismo y la apatía con coraje.

Vence la hipocresía con la sinceridad y la verdad.

Vence la injusticia con la honradez de tu vida.

Vence el odio y el rencor con la fuerza del amor.

Vence la venganza con el perdón.

Pide un corazón fuerte para luchar y grande para
amar; un corazón generoso, para que cualquier
persona que se acerque a ti, sea hombre o mujer,
niño o anciano, rico o pobre, blanco o de color,
creyente o ateo, encuentre en ti un hermano y
un amigo.

Fernando Bermúdez

No te arrojes a la mujer
como el perro se arroja
a lo que le dan de comer.

No te hagas, a manera de perro,
en comer y tragar lo que le dan,
dándote a las mujeres antes de tiempo.

Aunque tengas apetito de mujer,
resístete, resiste a tu corazón hasta que ya seas
hombre perfecto y recio.

Mira que al maguey,
si lo abren de pequeño para quitarle la miel,
ni tiene sustancia, ni da miel, sino piérdese.

Poema Náhualt

Los corazones más cercanos
no son los que se tocan.

Sabiduría Oriental

Carta a un Profesor

aestro; a ti me dirijo. Tú que has de pulimentar mi alma y moldear mi corazón, compadécete de su fragilidad.

No me mires con ceño adusto. Si no te comprendo todavía, ten paciencia. No reprima siempre tu gesto mis impulsos. No te moleste mi bulliciosa alegría; compártela. No atiborres mi débil inteligencia con nociones superfluas.

Enseña lo útil, lo verdadero y lo bello. ¡Lo bello! Maestro: que mis ojos aprendan a ver y mi alma a sentir. Desentraña la belleza de cuanto rodea y házmela gustar.

Trátame con dulzura, maestro, ahora que soy pequeño, quién sabe los dolores que me deparará el destino y, en medio de ellos, el recuerdo de tu benevolencia será bienhechor estímulo.

No me riñas injustamente; averigua bien la causa de mi falta y verás siempre atenuada mi culpabilidad.

Amame, maestro, como ama el padre a sus criaturas, que yo también, aunque no sepa demostrártelo, te amaré mucho, mañana más que hoy.

Si me enseñas con amor, tus lecciones serán provechosas, pero si no me amas, no podré comprenderte nunca.

Cultívame, maestro, como el jardinero a las florecillas que le dan encanto y aroma, yo también perfumaré tu existencia en el incienso perenne del recuerdo y la gratitud. Yo he de ser tu obra maestra, procura enorgullecerte de ella.

Maestro, buen maestro, que has de dar luz a mis ojos, aliento a mi cerebro, bondad a mi corazón, belleza a mi alma, verdad a mis palabras, rectitud a mis actos. Padre intelectual, bendito seas.

Elisa M. Mosser

De algún modo estamos todos un poco locos... Todo el mundo en el fondo se siente solo e implora que lo comprendan, pero jamás podemos comprender cabalmente a otra persona, y siempre somos en parte extraños hasta para los seres que nos aman... Los crueles son los débiles; la bondad sólo puede esperarse de los fuertes... Los que no conocen el temor no son realmente valientes, porque el coraje es la capacidad para enfrentar lo que se puede imaginar... Es posible entender más a nuestros semejantes si los miramos (por grandes o importantes que sean) como si fueran niños. La mayoría de nosotros nunca madura; simplemente crece en estatura... La felicidad se obtiene cuando ampliamos nuestra mente y nuestro corazón hasta alcanzar los sitios más lejanos que podemos alcanzar... El objeto de la vida es importarle a alguien, representar algo. Que exista alguna diferencia por el hecho de haberla vivido.

Leo Rosten

Vivir para dar, Caminar para encontrar,
Sonreír para alegrar, Tener para compartir,
Repartir para aliviar, Esperar para abrazar...
Son actitudes saludables, que pregonan
la hermosa aventura de ser humano.

María Rilke

La vida es como los espejos. Sonríeles y te sonreirán.
Ponles mala cara y te resultarán siniestros.

Merrell

Quienquiera que ame a una rana
hace de ella una diosa.

Sabiduría Oriental

Plegaria de un Padre

Dame, Señor, un hijo...
Que tenga la fortaleza de reconocer cuando ha flaqueado; el valor de enfrentarse consigo mismo cuando sienta miedo.

Un hijo que lleve alta la frente en la honrada adversidad de la derrota, y que sea modesto y gentil en la victoria.

Un hijo que nunca doble la espalda cuando debe erguir el pecho; que no se contente con sólo desear en vez de realizar.

Un hijo que te conozca a Ti y se Conozca a sí Mismo... y sepa que en Conocerse el Hombre a sí Mismo se encuentra el fundamento de todo saber.

No lo guíes, Señor, por el camino cómodo y fácil, sino por el sendero áspero, espinoso y difícil donde las dificultades son acicate y reto para vencerlas. Allí... déjalo que aprenda a hacer frente a las tempestades, a sostenerse firme y seguro en medio de ellas.

Dame, Señor, un hijo capaz de compadecerse de los que flaquean y fracasan. De sano corazón y altos ideales; capaz de dominarse él mismo antes de pretender dominar a los demás.

Un hijo que aprenda a reír... pero que también sepa llorar. Un hijo que avance hacia el futuro sin desentenderse jamás de lo pasado.

Y después de haberle concedido todo eso, imploro de ti, Dios mío, le concedas...

Suficiente sentido de buen humor para proceder con seriedad sin tomarse a sí mismo demasiado en serio. Humildad y sencillez, compañeros de la verdadera grandeza. Una mente abierta e imparcial, propia de los verdaderamente sabios. Y la mansedumbre de los verdaderamente fuertes.

Porque entonces, Señor, Yo, el padre de tal hijo me atreveré a susurrar en lo más profundo de mi corazón... «No he vivido en vano».

General Douglas Mac Arthur

Pocas cosas habrán tan imprescindibles para la felicidad humana como la paz del espíritu. También tú tienes cada día más necesidad de paz interior para ser feliz.

A veces nos falta paz o la perdemos, por un cierto temor, amenaza o angustia de algún mal futuro que anticipamos con nuestra imaginación.

Ojalá pudiésemos prescindir de estas imaginaciones y sentimientos.

Ojalá pudiésemos vivir sólo en el momento presente. Querámoslo o no, es la imaginación y el anticipar afectivamente el futuro lo que más nos impide vivir ahora plenamente y lo que, en definitiva, nos quita la paz.

Miguel Bertran-S.J.

El hombre es desgraciado porque busca la paz y el gozo en las condiciones y objetos externos, que por su propia naturaleza son incapaces de proporcionar el estado perfecto que el corazón del hombre ansía.

Chandogya Upanishad

¿**C**ómo se las arregla Ud. para andar siempre tan alegre?

"Simplemente he aprendido a cooperar con lo inevitable".

Maurice Maeterlink

Viva 100 Años

La salud es la condición normal del cuerpo; y que es el derecho natural de todo ser humano.

2. La salud es el resultado de vivir de acuerdo con las leyes naturales que gobiernan nuestro ser.

3. La enfermedad es el resultado de la transgresión de esas leyes.

4. Cuando se pierde la salud sólo puede recuperarse volviendo a vivir una vida de acuerdo con la filosofía Naturista.

5. El poder de curarse es inherente al organismo animal, siempre y cuando se le deje actuar sin interferencia.

6. Las drogas, medicinas, vacunas, sueros y otros tratamientos antinaturales, interfieren con el poder curativo inherente del cuerpo; y de esta manera retardan el proceso de recuperación.

7. Los mismos factores que mantienen una función fisiológica normal (salud), también curan la enfermedad cuando ésta aparece.

8. Los principales factores que constituyen la forma natural de vivir son: dieta correcta, ejercicio adecuado, aire puro en abundancia, descanso, pulcritud, un estado mental positivo y evitar todos aquellos hábitos que debilitan el organismo y alteran el equilibrio químico de la sangre.

9. Los errores dietéticos son los agentes principales causantes de muchas de las enfermedades comunes en la vida moderna.

10. La enfermedad aguda, sea cual fuere el nombre que se le dé, es invariablemente, un esfuerzo curativo que el organismo hace; y que cuando se le trata de acuerdo con los principios de la Naturopatía, resulta siempre benéfica y nunca peligrosa.

11. La única manera racional de tratar la enfermedad aguda es mediante el ayuno; esto es: la completa abstención de alimentos, tanto sólidos como líquidos.

12. El alimentar o alimentarse durante una enfermedad aguda es un crimen y que ello es responsable de las muertes que en estos casos ocurren.

13. El ayuno constituye una de las más grandes ayudas para curar casi todas las enfermedades tanto agudas como crónicas.

Deseo señalar al nuevo lector el hecho de que la comprensión correcta de estas verdades fundamentales y la aplicación de sus principios, prácticamente harán de quien quiera una persona más sana y más feliz y eficiente miembro de la sociedad.

Sugiero no ayunar más de veinticuatro horas sin la autorización y vigilancia, de ser necesaria ésta, de un Naturópata.

Dr. Stanley Leif

s importante comer contento
y no hacer de nuestras comidas
una etapa en nuestra carrera cotidiana.

A esto podemos llegar cuando entendamos
la importancia del alimento y su función:

No sólo la de llenar el estómago, sino también de
proveer energía y material para el crecimiento
y el desarrollo de todas nuestras facultades.

En Japón, el preparar los alimentos buscando la
armonía es un arte que tiene reglas antiquísimas.

Si preguntáis a una mujer japonesa
por qué cocina con tanto cuidado,
por qué sus movimientos son tan calmos y apacibles
y por qué tanto ama
el alimento que esta preparando, ella contestará:

"Irritando al alimento, irritaremos a los que irán
a comer; cocinándolo en paz,
quienes lo comerán, se volverán tranquilos".

Mishio Kushi

La salud es un derecho natural
de todo hijo de hombre. Si estamos enfermos,
si sentimos malestar o sufrimos de mala salud.
es porque estamos en desarmonía
con el Plan o Idea Divinos.

Thomas Hamblin

Existe una medicina al alcance de todos para
tornar vivaz el fluir de la sangre y para eliminar los
tumores nocivos. La medicina se llama **caminar**.
Habréis de caminar lentamente, pero sin desgana;
el cuerpo no debe estar rígido.

Michel de Nostradamus

Antes de iniciar la comida,
juntaremos nuestras palmas
con plena presencia mental y diremos...

Al servir la comida

*En este alimento
veo claramente la presencia
del universo entero
que sostiene mi existencia.*

Al empezar a comer

*Con el primer bocado,
prometo ofrendar mi alegría.*

*Con el segundo, prometo
contribuir a aliviar el padecimiento ajeno.*

*Con el tercero, prometo
considerar como propia la alegría ajena.*

*Con el cuarto, prometo
aprender a recorrer el camino del desapego
y de la ecuanimidad.*

Al terminar de comer

*El plato está vacío.
Mi hambre ha quedado satisfecha.
Prometo vivir para el bien de todos los seres.*

Thich Nhat Hanh

Receta para la Relajación

Elija un lugar en calma, un ambiente tranquilo que lo distraiga lo menos posible. Relaje profundamente todos los músculos, comenzando por los pies y subiendo poco a poco hasta la cara.

2. Una fórmula mental. Apartar la mente de los pensamientos influidos por el exterior exige un estímulo constante, como una palabra o frase que debe repetir mentalmente. Respire por la nariz y concéntrese en su respiración. Al exhalar, repita mentalmente la palabra o frase para sus adentros.

3. Una actitud pasiva. Cuando se le pasen por la cabeza pensamientos distractivos, rechácelos y redirijirá su atención a la respiración y la repetición de la palabra o frase que haya escogido. No se preocupe por si lo está haciendo bien o mal. Adopte una actitud pasiva.

4. Una posición cómoda. La relajación, la respiración de la palabra o frase debe realizarlas mientras se halla en una posición cómoda, para que no se produzca una indebida tensión muscular. Para muchos, da buen resultado sentarse en un sillón confortable.

Método Benson

¿Por qué se ha de tener a los cambios?
Toda la vida es un cambio...

H. G. Wells

l principio es ser uno mismo.
Si siente el impulso por conocer a alguien,
manifiéstéselo.
Si le gusta, alguien, demuéstreselo.
No tiene sentido simular sobre este punto.

Judy Kuriansky

No vayas delante mío, no te seguiré;
Ni me sigas, no te guiaré;
Sólo camina a mi lado... y seamos amigos.

E. White

Todos los días, trata de ayudar a alguien
que no pueda corresponder a tu bondad.

John Wooden

Somos los únicos seres de la tierra
que podemos cambiar nuestra biología
por lo que pensamos y sentimos.

Deepak Chopra

La salud no es simplemente la ausencia
de enfermedad. Es la sensación de júbilo
que debería acompañarnos todo el tiempo,
un estado de bienestar positivo.

Deepak Chopra

Si las personas fueran capaces
de abstenerse de comer, por lo menos,
una vez al mes, se evitarían muchas enfermedades.
Miles de personas mueren por falta de alimento,
pero millones mueren enfermos
por exceso en las comidas y bebidas.

Dr. O. Z. Hanish

EDAD DE ORO

No es viejo aquel que pierde su cabello
o su última muela, sino su última esperanza.
No es viejo el que lleva en su corazón
el amor siempre ardiente;
no es viejo el que mantiene su fe en sí mismo,
el que vive sanamente alegre,
convencido de que para el corazón puro
no hay edad...

Sabiduría Hindú

El cuerpo envejece,
pero no la actividad creadora del espíritu.
Goethe concluyó «Fausto» a los 82 años;
el Ticiano pintó obras maestras a los 98;
Toscanini dirigió orquestas a los 87;
Edison trabajaba en su laboratorio a los 83;
Benjamín Franklin contribuyó a redactar
la constitución de los Estados Unidos a los 81...

Wilfred Peterson

Para el profano,
la ancianidad es invierno;
para el sabio,
es la estación de la cosecha.

Proverbio judío

El crepúsculo de la vida
trae consigo su propia
lámpara.

Joseph Joubert

Cuando una noble vida ha preparado la vejez, no es la decadencia lo que ésta recuerda: son los primeros destellos de la inmortalidad.

Es por ello cosa estupenda ver un viejo que asume la segunda parte de su vida con tanto coraje e ilusión como la primera. Para ello tendrá que empezar por aceptar que el sol del atardecer es tan importante como el del amanecer y el mediodía, aunque su calor sea muy distinto. El sol no se avergüenza de ponerse, no siente nostalgia de su brillo matutino, no piensa que las horas del día le estén «echando» del cielo, no se experimenta menos luminoso ni hermoso por comprobar que el ocaso se aproxima, no cree que su resolana sobre los edificios sea menos importante o necesaria que la que hace algunas horas hacía germinar las semillas en los campos, o crecer las frutas en los árboles. Cada hora tiene su gozo. El sol lo sabe y cumple, hora a hora, su tarea... ¡Ah, si todos los ancianos entendieran que su sonrisa sobre los hombres puede ser tan hermosa y fecunda como ese último rayo del sol antes de ponerse!

J. L. Martín Descalzo

Para quien guarde una curiosidad intacta
el retiro en la vejez tiene que ser
el tiempo más delicioso de la vida.

André Maurois

Hay una primavera que no vuelve jamás
y otra que es eterna;
la primera es la juventud del cuerpo,
la segunda es la juventud del alma.

C. A. Torres

Madurez

Madurez es saber controlar la ira o zanjar las diferencias sin violencia, ni destrucción; significa paciencia. Es la libertad de rechazar un placer momentáneo en aras de una felicidad duradera.

Madurez es perseverancia y habilidad de llevar a cabo un proyecto a pesar de los obstáculos o descorazonantes fracasos. Es la capacidad de enfrentarse a las desgracias, frustraciones, molestias y derrotas sin lamentaciones ni colapsos.

Madurez es humildad; tener el valor de reconocer cuando se está equivocado o si la razón está de nuestra parte no experimentar la satisfacción de decir: "Yo lo advertí".

Madurez es tomar una decisión y sostenerla. La gente inmadura pasa sus vidas explorando posibilidades sin fin y terminan por no hacer nada positivo.

Madurez significa culminar con la palabra dada. Las personas que carecen de ella son maestras de las disculpas, son aquellas que viven confusas, que no saben como organizarse, sus vidas se convierten en larga cadena de promesas rotas, de amistades pasajeras, de negocios sin terminar y de buenas intenciones que nunca llegan a materializarse.

Madurez es el arte de vivir en paz con situaciones que no podemos cambiar o tener el valor de cambiarlas cuando las circunstancias así lo exigen.

Herbert Martín

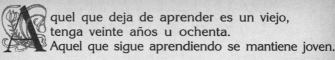quel que deja de aprender es un viejo,
tenga veinte años u ochenta.
Aquel que sigue aprendiendo se mantiene joven.

Henry Ford

Al mirar a su vecino y darse cuenta
de su verdadero significado, y de que él morirá,
surgirán en ustedes, piedad y compasión por él
y finalmente lo amarán.

Gurdjieff

La lección más difícil de aprender es que
aprender es un proceso continuo.

David Gerrold

La vida es tan bella y el mundo es tan grande,
y sin embargo, nosotros mismos somos más
bellos y más grandes que todo,
cuando el alma está despierta.

Arturo Castañeda

Cuando las olas se han aquietado
y el agua está en calma:
entonces se refleja la luz
y se puede vislumbrar el fondo.

Vivekananda

La ociosidad es todavía más peligrosa
para los viejos que para los jóvenes.
Debe darse un trabajo adecuado a aquellos
cuyas fuerzas declinan. Pero no descanso.

Alexis Carrel

Dentro de toda persona moran
la divinidad, la verdad y la dulzura.

Ramakrishna

Convivir en Amistad

Todos anhelamos vivir en paz, y ese anhelo es un objetivo alcanzable si cada uno de nosotros se compromete a aportar lo mejor de sí para lograrlo.

Aprender a convivir en amistad debe ser uno de nuestros objetivos fundamentales de cada día.

Aprender a convivir en amistad es desarmar el espíritu de todo sentimiento de agresividad, de rencor, de odio, de envidia.

Aprender a convivir en amistad es abrir nuestro espíritu y nuestro corazón a la comprensión, para quien comprende acepta o compadece.

Por eso la comprensión es propia de las almas grandes; no en vano decía un sabio: "Cuando alguien intenta ofenderme, me coloco tan por encima de él que su ofensa no me alcanza".

Aprender a convivir en amistad es también permanecer dispuestos al perdón, pues nada engrandece tanto al hombre como comprender y perdonar.

Aprender a convivir en amistad es fomentar la generosidad (bien entendida) para servir y ayudar al otro, especialmente al más necesitado.

Aprender a convivir en amistad es participar activamente en la generación de un clima amable en el lugar en el que nos encontremos.

Aprender a convivir en amistad debe ser pues un objetivo de aprendizaje de todos los días y de toda nuestra vida.

Anónimo

Perdonar a quienes nos han perjudicado
es beneficiarse.

El Talmud

De dos que discuten en voz alta,
el primero que calla es el más noble.

El Talmud

De todas las cosas que llevas,
la más importante es tu expresión.

John Glaskin

La primera ley de la amistad
es pedir a los amigos cosas honradas
y sólo cosas honradas hacer por ellos.

Cicerón

El pájaro tiene su nido, la araña su tela,
el hombre la amistad.

William Blake

Buen amigo.
En la conversación
va creando bancos de silencio.

José Camón Aznar

Si eres humilde, nunca te humillarán.

El Talmud

¿Quién es tu Amigo?

Tu amigo es: El que siendo leal y sincero, te comprende.

El que te acepta como eres y tiene fe en ti.

El que sin envidia reconoce tus valores, te estimula y elogia sin adularte.

El que te ayuda desinteresadamente y no abusa de tu bondad.

El que con sabios consejos te ayuda a construir y pulir tu personalidad.

El que goza con las sutiles alegrías que llegan a tu corazón.

El que sin penetrar en tu intimidad, trata de conocer tu dificultad para ayudarte.

El que sin herirte te aclara lo que entendiste mal o te saca del error. El que levanta tu ánimo cuando estás caído.

El que con sus cuidados y atenciones, quiere menguar el dolor de tu enfermedad.

El que te perdona con generosidad, olvidando tu ofensa. El que ve en ti un ser humano con alegrías, esperanzas, debilidades y luchas.

Este es el amigo verdadero, que con su amor da la evidencia de que conoce a Dios a través de sus hermanos. Si lo descubres, consérvalo como un tesoro.

Teresita   Atehortua

Común sentencia de filósofos es que el amigo es más necesario que el fuego y el agua, porque así como es imposible vivir sin el agua y el fuego, así es imposible vivir sin amistad.

San Ambrosio dice que es consuelo de la tristeza de esta vida tener un hombre a quien fiar los secretos del corazón, que consuele en los casos adversos y se alegre en los prósperos; porque la alegría comunicada crece, y la tristeza compartida se disminuye.

Francisco de Quevedo

Un amigo del alma es alguien con quien podemos compartir nuestras más grandes alegrías y nuestros temores más profundos, a quien podemos confesar nuestros peores pecados y nuestras fallas más persistentes, y a quien podemos confiar nuestras más grandes esperanzas y, tal vez, nuestros anhelos más ocultos.

Edward C. Sellner

Elige tu compañía cuidadosamente, sé cordial y sincero, pero mantén siempre una pequeña distancia y reverencia. Jamás trates a los demás con excesiva familiaridad. Es fácil hacer amigos, mas, para mantenerlos, debes ceñirte a esta regla.

Paramahansa Yogananda

Pidamos, la sabiduría necesaria
para conocer quien merece
nuestra amistad más íntima y quien no.

Prentice Mulford

Un regalo debe salir del corazón,
o de ninguna otra parte.

Prentice Mulford

Cuando yo era un niño, mi bueno y frugal padre me enseñó a divertirme con cosas sencillas. Uno de mis pasatiempos favoritos era recoger capullos de gusanos de seda y guardarlos hasta la primavera, para ver salir las mariposas, cuya belleza me encantaba. Mucha lástima me causaba verlos forcejear en el capullo, antes de salir, tratando de escapar de su prisión. Un día, cogió mi padre unas tijeras y con ellas abrió uno de los capullos, para dejar salir la mariposa. Esta salió, pero murió en seguida.

Oye, Roy -dijo mi padre-: con los esfuerzos que hace la mariposa para salir de su prisión, expele el veneno que tiene dentro y que amenaza matarla. Si no lo expele, muere víctima de él. Asimismo, cuando uno lucha y brega para conseguir lo que quiere, se hace mejor y más fuerte; pero si todo lo tiene sin esfuerzo ni dolor, se vuelve débil, y hasta algo parece que muere y se apaga en su interior.

Y ahora veo que, si he podido sufrir la adversidad con fortaleza, es porque mi padre me enseñó la gran verdad de que la vida sin lucha poco vale...

Le Roy V. Brandt

Quiere y podrás; reflexiona y te instruirás.
Busca y hallarás; persevera y lograrás;
en lo que tú te ayudas Dios te ayudará.

Almafuerte

Si no nos dieran nada
quienes no nos deben nada,
¡pobres de nosotros!

Antonio Porchia

En todo lo que te sucediere, considera en ti mismo el medio que tienes de defenderte. Por ejemplo: si ves una hermosa mujer, advierte que tienes la Templanza, que es un poderoso medio para oponer a la hermosura. Si estás obligado a emprender algún trabajo penoso, recurre a la Constancia. Si te han hecho alguna injuria, ármate de la Paciencia. Y si te acostumbras a obrar de esta manera siempre, nunca el mundo te dominará

Epicteto

La juventud es un hermoso sueño a cuya luminosidad los libros derraman polvo cegador.

¿Llegará el día en que los sabios enlacen el júbilo del conocimiento con el sueño de la juventud? ¿Llegará el día en que la naturaleza se convierta en maestra del hombre, la humanidad en su libro, y la vida en su escuela?

El glorioso propósito de la juventud no se podrá cumplir hasta que llegue ese día. Nuestra marcha hacia la elevación espiritual es demasiado lenta porque hacemos muy poco uso del ardor de la juventud.

Kahlil Gibrán

Todo el que triunfa se distingue por la espléndida confianza que tiene en sí mismo y quien carezca de esta cualidad espiritual (pues es una cualidad espiritual) jamás podrá vencer. Nunca hemos encontrado a una persona triunfadora que no creyera total y absolutamente en sí misma...

Thomas Hamblin

El genio, vacila, tantea... se cansa. La tenacidad triunfa y se fortifica con la perseverancia.

Edison

Cuando hables a un hombre, mírale a los ojos; cuando él te hable a ti, mírale a la boca.

Benjamín Franklin

Cada uno tiene la edad de su corazón.

Alfred D'Moudetot

Nunca estimes que algo es ventajoso si hace que rompas tu palabra o pierdas tu dignidad.

Marco Aurelio

Cuando quieres algo, todo el Universo conspira para que realices tu deseo.

Paulo Coelho

Si todo me estuviera permitido, me perdería entre tanta libertad...

Igor Stravinsky

Cualquier "hombre" puede tener muchas mujeres, pero hay que ser bien Hombre para tener sólo una.

Vinicio de Morán

Podrás recuperar cualquier cosa que hayas perdido, menos el tiempo de tu juventud.

San Patricio

Espere lo mejor. Prepárese para lo peor. Acepte lo que venga.

Zig Ziglar

Nuestros

Hijos...

Carta a Mi Hijo...

No tengo oro ni plata mas lo que tengo te doy. Lentamente se aproxima el tiempo en que debo emprender el camino que no tiene regreso. No puedo llevarte conmigo y te dejo en un mundo en el que los buenos consejos no salen sobrando. Nadie es sabio de nacimiento. Aquí el tiempo y la experiencia enseñan y limpian la conciencia; yo he observado el mundo más tiempo que tú.

Querido hijo, no todo lo que brilla es oro. He visto caer algunas estrellas del cielo y quebrarse muchos bastones en los cuales uno confiaba para poderse sostener, por eso, quiero darte algunos consejos y decirte lo que yo encontré y lo que el tiempo me ha enseñado.

Nada es grande si no es bueno y nada es verídico si no perdura.

No te dejes engañar por la idea de que puedes aconsejarte solo y que conoces el camino por ti mismo. Este mundo material es para el hombre demasiado poco y el mundo invisible no lo percibe, no lo conoce, ahórrate pues esfuerzos vanos, no te aflijas y ten conciencia de ti mismo.

Considérate demasiado bueno para obrar mal. No entregues tu corazón a cosas perecederas. La verdad querido hijo no es gobernada por nosotros sino que nosotros debemos ajustarnos a ella.

Ve lo que puedas ver y para ello usa tus propios ojos y con respecto a lo invisible y eterno atente a la palabra de Dios. Mantente fiel a la religión de tus padres y huye de los merólicos teólogos.

No desconfíes de nadie tanto como de ti mismo; dentro de nosotros vive el juez que nos enseña y cuya voz es más importante para nosotros que el aplauso de todo el mundo y la sabiduría de los griegos y egipcios; hazte el propósito, hijo, de no actuar contra su voz y si algo piensas o intentas hacer póntelo primero en la mente y pídele consejo a tu juez interno; al principio, él hablará únicamente en forma muy suave balbuceando como una criatura inocente, sin embargo, si honras su inocencia soltará su lengua y te hablará en forma más perceptible.

Aprende con gusto de los demás y escucha con atención donde se hable de sabiduría, dicha humana, luz, libertad, virtud, pero no confíes inmediatamente en todo porque no todas las nubes llevan agua y existen diversos caminos para seguir. Hay quienes creen que dominan una materia porque hablan de ella; pero no es así hijo mío, no se tienen las cosas por poder hablar de ellas, palabras sólo son palabras y ten cuidado si fluyen en forma demasiado hábil y ligera, pues los caballos cuyos carros están cargados de mercaderías avanzan con pasos más lentos.

Nada esperes del trajín ni de los trajinantes y pásate de largo donde haya escándalo callejero. Si alguien quiere enseñarte sabiduría, mírale la cara, si lo ves enorgullecido, déjalo, no hagas caso de sus enseñanzas por más famoso que sea.

Lo que uno no tiene no lo puede dar, y no es libre aquel que puede hacer lo que quiere sino que es libre aquel que puede hacer lo que debe hacer, y no es sabio el que cree que sabe sino el que se percató de su ignorancia y logró sobreponerse a la vanidad.

Piensa con frecuencia en cosas sagradas y ten la seguridad que ello te traerá ventajas y así serás como la levadura que fermenta la masa del pan. No desprecies religión alguna puesto que están consagradas al espíritu y tú no sabes lo que pudiera estar oculto bajo apariencias insignificantes. Desdeñar algo es fácil, hijo, pero es mucho mejor comprenderlo.

No instruyas a otros hasta que tú seas instruido. Acógete a la verdad si puedes y gustosamente permite que te odien a causa de ella; sabe sin embargo, que si tus cosas no son cosas de verdad, cuida de no confundirlas puesto que de ser así vendrán sobre ti las consecuencias; simplemente haz el bien y no te preguntes por lo que de ello resulte. Quiere sólo una cosa y esa quiérela de corazón. Cuida de tu cuerpo pero no de tal manera como si fuera tu alma.

Obedece a la autoridad y deja que otros la discutan. Sé correcto con cualquier persona pero confíate difícilmente. No te mezcles en asuntos ajenos y los tuyos, arréglalos con diligencia. No adules a persona alguna y no te dejes adular. Honra a cada quien según su rango y deja que se avergüence si no se lo merece.

No quedes debiéndole a persona alguna, pero sé afable como si todos fueran tus acreedores. No quieras ser siempre generoso pero procura ser siempre justo. A nadie debes sacar canas, sin embargo, cuando obres con justicia no te preocupes por ellas.

Desconfía de la gesticulación y procura que tus modales sean sencillos y correctos. Si tienes algo, ayuda y da con gusto, y no por ello te creas superior; y si nada tienes, ten a mano un trago de agua fresca y no por ello te creas menos.

No lastimes a doncella alguna y piensa que tu madre también lo fue.

No digas todo lo que sabes, pero siempre debes saber lo que dices. No te apoyes en algún grande. No te sientes donde se sientan los burlones porque ellos son los más miserables de todas las criaturas.

Respeta y sigue a los hombres piadosos, mas no a los santurrones. El hombre que tiene en su corazón verdadero temor a Dios es como el sol que brilla y calienta, aunque no hable.

Haz lo que merezca, pero no pretendas obtenerla. Si tienes necesidades, quéjate ante ti mismo y ante nadie más.

Y no olvides que lo mejor que puedes dar a un enemigo es el perdón, a un oponente tolerancia; a un amigo, oídos; a tu hijo, buen ejemplo; a tu madre, una conducta que la haga sentirse siempre orgullosa de ti; a tu prójimo siempre caridad.

Cuando yo muera ciérrame los ojos; no me llores... Ayuda y honra a tu madre mientras viva.

Mathias Claudius

Carta a Mi Hija...

Escucha hija mía las instrucciones de la prudencia, y permite que los preceptos de la verdad se hundan profundamente en tu corazón; así los encantos de tu mente darán brillo a la elegancia de tus formas, y tu belleza, como la rosa a la cual se asemeja, conservará su dulzura después que se haya marchitado.

En la primavera de tu juventud, en la mañana de tus días, cuando los ojos de los hombres te miren con placer y la naturaleza murmure en tu oído el significado de esas miradas... ¡Ah!, escucha con cautela sus palabras seductoras, cuida bien tu corazón, y no prestes oído a su voz suave y persuasiva.

Recuerda que eres la compañera razonable del hombre, no la esclava de su pasión; el propósito de tu ser no es simplemente el de complacer su desenvuelto deseo, sino el de ayudarlo en los trabajos de la vida, el de consolarlo con tu ternura y el de recompensar sus atenciones con amable solicitud.

¿Quién es la que gana el corazón del hombre y reina en su pecho? ¡Mírala!.. Allí va con su suavidad de doncella, con la inocencia en su mente y la modestia en sus mejillas.

Su mano busca que hacer, su pie no se complace en el corretear ocioso. Está vestida con pulcritud, alimentada con templanza; la humildad y la mansedumbre son la corona de gloria que circunda su frente.

En su garganta hay música, la dulzura de la miel fluye de sus labios. La decencia está en todas sus palabras; en sus contestaciones hay verdad y suavidad. Delante de ella marcha la prudencia, y la virtud está a su lado derecho. La paz y la felicidad son su recompensa.

Su mirada habla con suavidad y amor; la discreción está sobre su frente. La lengua del disoluto y licencioso queda muda ante la presencia de ella, y el temor de su virtud lo hace callar.

Cuando el escándalo está atareado y la fama de su vecina salta de lengua en lengua, si entonces la caridad o la buena índole no hacen abrir la boca de ella, el dedo del silencio descansa sobre sus labios.

Su pecho es la mansión de la bondad, y por lo tanto ella no sospecha el mal en los demás. Preside la casa, y hay paz; ella da órdenes con buen juicio, y es obedecida. Se levanta por la mañana, considera sus asuntos y señala a cada uno su propia ocupación. El cuidado de la familia es su gozo. La prudencia de su administración es un honor para su esposo, y él escucha las alabanzas a ella con secreta delicia.

Ella infunde la mente de sus hijos con sabiduría, y ordena la conducta de ellos a ejemplo de su propia bondad. La palabra de su boca es la ley de los jóvenes; porque la ley del amor está en los corazones de todos y la bondad de ella abre las puertas de los corazones.

En la prosperidad no se envanece, en la adversidad ella cura las heridas de la fortuna con paciencia. Las calamidades de su esposo se alivian con los consejos de ella y se endulzan con sus caricias; el descansa su cabeza en el pecho de ella y recibe consuelo. Feliz el hombre que la haya hecho su esposa; feliz el niño que la llame madre.

Deja huella al morir, ¡Brilla! ¡Destaca..! Cumple tu misión en esta vida. Dios te dio inteligencia, úsala. Dios te dio corazón, pues ama. Tienes un par de firmes brazos, úsalos.

Si fracasas no culpes a nadie. Tu misma tomaste tus decisiones, tus ojos ven las cosas que quieres ver, tus oídos oyen las cosas que quieres oír, tu lengua dice las cosas que quieres decir. Creaste tu propio mundo por eso nunca culpes a nadie de tus dificultades. Sufre tus dolores, tus esperanzas, tus yerros, con entereza y dignidad. No pidas piedad ni indulgencia, no mendigues palabras de consuelo. Saca fuerzas de tus flaquezas y no te consideres vencida mientras corran gotas de sangre por tus venas. Si caes, levántate... y sigue. Algunos corazones tienen miedo de la vida y no se atreven a intentar la conquista de la felicidad que va acompañada de dificultades. No se quiere cortar la rosa por temor a pincharse. Se quiere la rosa ya cortada y sin espinas. Solamente los corazones valientes tienen la audacia de llevar a cabo tales conquistas, que cuestan, es cierto, pero que se hallan enriquecidas con todo lo que han costado.

Sólo hay un camino entre un millón... y ese es el tuyo. Por lo tanto siempre debes tener presente que un camino es sólo un camino. Si crees que no debes seguirlo, no debes quedarte en él bajo ningún concepto. Cualquier camino es tan sólo un camino. No es nada afrentoso para ti ni para los demás el no seguirlo, si eso es lo que te aconseja tu corazón. Pero tu decisión de perseverar en la senda elegida o abandonarla, debe estar libre de miedo o ambición. Medita sobre tu camino tantas veces como creas preciso. Pregúntate a solas lo siguiente: ¿Tiene un sentido esencial este camino?... Lo importante es que tenga un sentido profunfo.

...del Archivo Tibetano

Tú que eres Padre...

Tú que eres padre, considera el valor de lo que se te ha confiado; al ser que has producido tienes el deber de sostenerlo.

También depende de ti el que resulte el hijo de tu pecho una bendición o una maldición para ti mismo; un miembro útil o sin valor alguno para la comunidad.

Desde temprano, prepáralo con la instrucción y sazona su mente con máximas de verdad.

Observa sus inclinaciones, enderézalo en su juventud y no permitas que los malos hábitos se afirmen al correr de sus años.

Así crecerá como el cedro de las montañas; su cima podrá verse sobre los árboles del bosque.

Un mal hijo es un reproche a su padre; pero el que proceda bien es una honra para sus cabellos blancos.

El terreno es tuyo, no lo dejes sin cultivo; la semilla que siembres, esa misma cosecharás.

Enséñale obediencia y él te bendecirá; enséñale modestia y él no se avergonzará.

Enséñale gratitud y recibirá beneficios; enséñale la caridad y alcanzará el amor.

Enséñale la templanza y tendrá salud; enséñale la prudencia y la fortuna acudirá a él.

Enséñale justicia y será honrado por el mundo; enséñale sinceridad y su propio corazón no lo reprochará.

Enséñale diligencia y su fortuna crecerá; enséñale benevolencia y su mente será enaltecida.

Enséñale la ciencia y su vida será útil; enséñale religión y su muerte será feliz.

...del Archivo Tibetano

El Retrato de una Madre

Hay una mujer que tiene algo de Dios por la inmensidad de su amor y mucho de ángel por la incansable solicitud de sus cuidados.

Una mujer que siendo joven, tiene la reflexión de la anciana; y en la vejez, trabaja con el ardor de la juventud.

Una mujer que si es ignorante, descubre los secretos de la vida con más acierto que un sabio; y si es instruida, se acomoda a la candorosa simplicidad de los niños.

Una mujer que siendo pobre, se satisface con la felicidad de los que ama; y siendo rica, daría con gusto todo su tesoro por no sufrir en su corazón la herida de la ingratitud.

Una mujer que siendo vigorosa, se estremece con el vagido de un niño; y siendo débil, se reviste con la bravura de un león.

Una mujer que mientras vive, no la sabemos estimar porque a su lado todos los dolores se olvidan; pero después de muerta, daríamos todo lo que somos y todo lo que tenemos por mirarla sólo un instante, por recibir de ella un solo abrazo, por escuchar un solo acento de sus labios.

De esta mujer no me exijáis el nombre, si no queréis que empañe con lágrimas estas páginas... porque ya la vi pasar en mi camino.

Cuando crezcan vuestros hijos, leedles estas páginas y ellos cubrirán de besos vuestra frente, y os diréis que un humilde viajero, en pago del suntuoso hospedaje recibido, ha dejado aquí para vos y para ellos, un boceto del retrato de una madre.

Monseñor Ramón Angel Jara

Los Niños Escriben a Los Padres

No me des todo lo que te pido. A veces yo sólo pido para ver hasta cuánto puedo obtener.

No me des siempre órdenes: si me pidieras las cosas yo las haría más rápido y con más gusto.

Cumple las promesas buenas o malas. Si me prometes un permiso, dámelo, pero también si es un castigo.

No me compares con nadie, especialmente con mi hermano o hermana. Si tú me haces lucir mejor que los demás, alguien va a sufrir, y si me haces lucir peor que los demás, entonces seré yo quien sufra.

No me corrijas mis faltas delante de nadie. Enséñame a mejorar cuando estemos solos. No me grites. Te respeto menos cuando lo haces y me enseñas a gritar a mí también, yo no quiero hacerlo.

Déjame valerme por mí mismo. Si tú lo haces todo por mí yo nunca podré aprender.

No digas mentiras delante de mí, ni me pidas que los diga por ti aunque sea para sacarte de un apuro. Me haces sentir mal y perder la fe en lo que dices.

Cuando yo haga algo malo no me exijas que te diga "el por qué" lo hice. A veces ni yo mismo lo sé.

Cuando estés equivocado en algo admítelo y crecerá la opinión que yo tengo de ti. Y me enseñará a admitir mis equivocaciones también.

Trátame con la misma cordialidad y amabilidad con que tratas a tus amigos, ya que porque seamos familia no quiere decir que no podemos también ser amigos.

No me digas que haga una cosa y tú no lo hagas. Yo aprenderé y haré siempre lo que tú hagas aunque no me lo digas, pero nunca lo que tú digas y no lo hagas.

Enséñame a amar y conocer a Dios, no importa que en el colegio me quieran enseñar, porque de nada vale si yo veo que ustedes ni conocen ni aman a Dios.

Cuando te cuente un problema mío, no me digas: "no tengo tiempo para tus boberías" o "eso no tiene importancia". Trata de comprenderme y ayudarme.

Y... quiéreme. Y... dímelo, a mí me gusta oírtelo decir. Aunque tú no creas necesario decírmelo.

Tu Hijo

El Ambiente que Rodea al Niño... Forma al Niño

Si un niño vive criticado... aprende a condenar. Si un niño vive en un ambiente de hostilidad... aprende a pelear.

Si un niño vive avergonzado... aprende a sentirse culpable.

Si un niño vive estimulado... aprende a confiar en sí mismo.

Si un niño vive en un ambiente de Justicia... aprende a ser justo.

Si un niño vive sintiendo seguridad... aprende a tener fe.

Si un niño vive con aprobación... aprende a quererse y a estimarse.

Si un niño vive atemorizado y ridiculizado... aprende a ser tímido.

Si un niño vive muy compadecido... aprende a tener lástima.

Si un niño vive donde hay celos... aprende a sentirse culpable.

Si un niño vive elogiado... aprende a apreciar.

Si un niño vive con tolerancia... aprende a ser paciente.

Si un niño vive con reconocimiento.. aprende a tener buena meta.

Si un niño vive en un ambiente de honradez... aprende a ser honrado y a conocer la verdad.

Si un niño vive amado... aprende a amar.

Ronald Russell

Diario Inconcluso

Octubre 5: Hoy comenzó mi vida.

Mis padres no lo saben todavía. Soy tan pequeña como una semilla de manzana, pero ya soy yo. Y a pesar de que casi no tengo forma aún, seré una niña. Tendré cabellos negros y ojos negros y sé que me gustarán mucho las flores.

Octubre 19: He crecido un poco, pero soy todavía demasiado pequeña para poder hacer algo por mí misma. Mamá lo hace casi todo por mí. Y lo más gracioso es que ni siquiera sabe que me está llevando consigo, precisamente debajo del corazón. Y alimentándome con su propia sangre.

Octubre 23: Mi boca comienza a cobrar forma. Parece increíble: dentro de un año poco más o menos ya estaré riendo, y más tarde ya podré hablar. Desde ahora sé cuál será mi primera palabra: "Mamá". ¿Quién se atreve a decir que todavía no soy una persona viva? Por supuesto que lo soy, tal como la más diminuta miga de pan es verdaderamente pan.

Octubre 27: Hoy comenzó a latir mi corazón por su cuenta. De ahora en adelante latirá suavemente toda mi vida, sin detenerse nunca para descansar. Luego, después de muchos años, se sentirá fatigado y se detendrá, y yo moriré. Pero ahora no soy el fin, sino el principio.

Noviembre 2: Cada día crezco un poquito. Están tomando forma mis brazos y mis piernas. Pero ¡cuánto habré de esperar hasta que mis piernecitas me lleven corriendo a los brazos de mi madre, hasta que mis brazos puedan estrechar a mi padre!

Noviembre 12: En mis manos empiezan a formarse unos dedos pequeñísimos. Es extraño lo pequeños que son. Sin embargo, ¡qué maravillosos serán! Acariciarán a un perrito, arrojarán una pelota, recogerán una flor, tocarán otra mano. ¡Mis dedos! Tal vez algún día puedan tocar el violín o pintar un cuadro.

Noviembre 20: Hoy el médico le anunció a mamá por primera vez que yo estoy viviendo aquí, bajo su corazón. ¿No te sientes feliz mamá? Pronto estaré en tus brazos.

Noviembre 25: Mis padres todavía no saben que soy una niñita. Quizá esperan un varón. O tal vez mellizos. Pero les daré una sorpresa. Y quiero llamarme Isabel como mamá.

Diciembre 10: Mi carita está completamente formada. Ojalá me parezca yo a mi madre.

Diciembre 13: Ya puedo ver un poco, pero estoy rodeada aún por la oscuridad. Sin embargo, pronto se abrirán mis ojos al mundo del sol y de las flores, y de los niños. Nunca he visto el mar ni una montaña, ni tampoco un arco iris. ¿Cómo serán en realidad? ¿Cómo eres tú, mamá?

Diciembre 24: Mamá, puedo oír tu corazón que late. ¿Oirás tú el pequeño latido del mío? Como un murmullo siempre igual: tum-tum, tum-tum... Tendrás una hijita sana, mamá. Sé que algunos niños tienen dificultad al entrar en el mundo, pero hay médicos bondadosos que ayudan a las madres y a los recién nacidos. Sé también que algunas madres habrían preferido no tener al hijito que llevan en su seno. Pero yo estoy ansiosa de encontrarme en tus brazos, de tocarte la cara, de mirarte a los ojos. ¿Me esperas tú con la misma ansia que yo a ti? ¿Verdad que sí?

Diciembre 28: Mamá... mamita querida, ¿Por qué?... ¿Por qué les permitiste que pusieran fin a mi vida?... ¡Habríamos pasado juntas horas tan felices!

H. Schwab

Yo no Entiendo a la Gente Grande...

Porque tapa la luz del sol, quita las flores a las plantas para dejarlas marchitar en un jardín y enjaulan a los pajaritos, porque ha pintado todas las cosas gris y ha llenado el cielo de antenas y chimeneas.

Yo no entiendo a la gente grande... porque se cree importante por el solo hecho de ser grande, porque no me dejan caminar descalzo ni chapotear en la lluvia, porque me compran juguetes y no quieren que los use para que no se rompan.

Yo no entiendo a la gente grande... porque les han puesto un nombre difícil a todas las cosas sencillas, porque se pegan entre ellos o se pasan la vida discutiendo, porque quieren tomar empleos importantes y viven sentados.

Yo no entiendo a la gente grande... porque hacen decir versitos que no entiendo, porque me obligan a besar a la gente que no conozco, porque están siempre apurados y nunca tienen tiempo de contestar una pregunta o de contar un cuento.

Yo no entiendo a la gente grande... porque no les gusta sentarse en el muro de la vereda, porque no sienten el placer de perder el tiempo mirando alrededor y son incapaces de dar vueltas en un carrusel, porque cuando me porto mal me amenazan con ponerme una inyección y cuando me enfermo me dicen que una inyección me va a hacer bien.

Yo no entiendo a la gente grande... porque siempre se hacen los lindos o los serios porque dicen mentiras y ellos mismos se las creen, porque cada vez que me mienten me doy cuenta y sufro mucho.

Yo no entiendo a la gente grande... porque me dicen miedoso y ellos me hablaron de cucos y fantasmas, porque me piden que sea buenito y me regalan para jugar revólveres, dardos, flechas y escopetas de aire comprimido, porque han llenado la casa de cristales, porcelanas y cosas que se rompen y ahora resulta que no puedo tocar todo lo que veo.

Yo no entiendo a la gente grande... porque perdieron las ganas de correr y saltar, porque olvidaron esas cosas que tanto les gusta a los chicos, porque antes de reírse siempre le piden permiso al reloj.

Yo no entiendo a la gente grande... porque cuando hago algo malo me dicen: "no te quiero más" y yo tengo mucho miedo de que me dejen de querer de verdad.

A. E. S. G.

He Aquí Los Siete Pecados Capitales.
Estos descarríos pueden acabar contigo, con tus relaciones sociales y con tu carrera.

La Soberbia, porque te aísla.

La Avaricia, porque te impide gozar lo que tienes.

La Lujuria, porque pocas personas son capaces de librarse de sus cosecuencias.

La Ira, porque es el mayor desperdicio de energía.

La Gula, porque te coloca en desventaja en la competencia y te hace perder ante aquel que controla sus apetitos.

La Envidia, porque revela tus flaquezas y te quita fuerza.

La Pereza, porque la persona holgazana, descuidada o desorganizada es fácil presa de sus competidores.

Los siete pecados capitales existen desde que el mundo es mundo, y siguen siendo traicioneros como siempre.

Hijo mío tu máxima obra es forjarte un futuro. ¿Por qué ser uno de esos muertos en vida, permaneciendo siempre bajo la sombra de los demás? y ocultándote detrás de mil lamentables excusas y disculpas, mientras los años te consumen.

Alejo Carpentier

Un niño siempre puede enseñar tres cosas a un adulto: a alegrarse sin motivo, a estar siempre ocupado con algo y a saber exigir con todas sus fuerzas aquello que desea.

Paulo Coelho

Los niños son como el cemento fresco. Todo lo que les cae les deja una impresión indeleble.

W. Stekel

El carácter se forma en los primeros meses de la vida; en ellos quedará modelado el individuo, que aceptará una disciplina o se rebelará contra todas.

André Maurois

Lo que se hace a los niños, los niños harán a la sociedad.

Karl Manheim

Aquel que le enseña a un niño, es como si lo hubiera creado.

Talmud

Meditación...

El Tesoro Oculto

Nos cuenta una antigua leyenda hindú que en un tiempo todos los hombres que vivían sobre la tierra eran dioses, pero como el hombre pecó tanto, Brahma, el dios supremo, decidió castigarlo privándolo del aliento divino que había en su interior y esconderlo en donde jamás pudiera encontrarlo y emplearlo nuevamente para el mal.

«Lo esconderemos en lo profundo de la tierra», dijeron los otros dioses.

«No», dijo Brahma, «porque el hombre cavará profundamente en la tierra y lo encontrará».

«Entonces, lo sumergiremos en el fondo de los océanos», dijeron.

«Tampoco», dijo Brahma, «porque el hombre aprenderá a sumergirse en el océano y también allí lo encontrará».

«Escondámoslo en la montaña más alta» dijeron.

«No», dijo Brahma, «porque un día el hombre subirá a todas las montañas de la tierra y capturará de nuevo su aliento divino».

«Entonces no sabemos en dónde esconderlo ni tampoco sabemos de un lugar en donde el hombre no pueda encontrarlo», dijeron los dioses menores.

Y dijo Brahma: «Escondedlo dentro del hombre mismo; jamás pensará en buscarlo allí».

Y así lo hicieron. Oculto en el interior de cada ser humano hay un algo divino. Y desde entonces el hombre ha recorrido la tierra, ha bajado a los océanos, ha subido a las montañas buscando esa cualidad que lo hace semejante a Dios y que todo el tiempo ha llevado en su interior.

William H. Danforth

Meditar

Meditar es penetrar en el santuario íntimo de nuestra conciencia donde descubrimos qué impulsos hacia el bien o hacia el mal nos dominan con más frecuencia; qué debilidades gustos o inclinaciones aparecen más definidos y fuertes en nosotros a fin de prestarles más atención, tal como hace el buen jardinero con una amada planta de su jardín que observa día por día si un sol abrasador, o las lluvias excesivas o los vientos helados la perjudican y la agostan.

Y como el buen jardinero con amor y sólo por amor a su plantita que quiere ver embellecida en abundante floración, la poda, la riega y hasta lava su raíz, con igual amor piadoso por nuestra alma cautiva en la materia, hemos de apartarle todo aquello que perjudica su crecimiento, su progreso, y justa actuación en el plano de evolución en que por ley divina está colocada.

Hilarión del Monte Nebo F.E.

Hay una luz que brilla más allá de lo terreno,
más allá de todos nosotros,
más allá de los cielos,
más allá de lo más alto,
más allá de los más altos cielos:
Es la luz que brilla en nuestro corazón.

Chandogya

¿**Q**ué aprovecha al hombre
ganar todo el mundo
si pierde su alma?

Juan 6: 35

En la Vida Cotidiana

E l meditar es situarse en el "eterno presente" y detener ese constante ir y venir de nuestra mente, la forma más sencilla de hacerlo es dirigir toda nuestra atención a aquella actividad que estemos realizando en un momento determinado: cocinar, conducir, conversar con un vecino... Quizá pensemos que el presente no nos gusta y que, por tanto, no merece la pena recalar en él. Pero la belleza acecha en cada recodo de nuestro camino y sólo podremos hallarla deteniéndonos a vivir con intensidad cada instante de nuestra vida.

Más que una técnica, la meditación puede llegar a ser una actitud ante la vida, un querer intensificar nuestra vida y nuestra vivencia de cada instante. Cualquier actividad puede llegar a ser muy placentera si escogemos pequeños períodos, de cinco o diez minutos, para realizarlas con actitud meditativa.

* Cocinar: detenerse a observar las increíbles formas de los alimentos, espirales, ramificaciones, estrellas... Escuchar el ruido de los vegetales al ser cortados, el movimiento del puré al iniciar el hervor... Dejarse embriagar por los aromas...

* Jardinería: estar presente. Sentir la vida en la planta, su forma, su sed, su olor, su color...

* Barrer una habitación: tratando de no pensar en nada más que no sea el rozar de la escoba sobre el suelo, en la suciedad que vamos recogiendo, en nuestras manos sosteniendo el mango...

* Pasear: acoplar la respiración a los pasos. Observar el movimiento de todo nuestro cuerpo, los pies, las piernas, los brazos. Podemos incluso repetir el "om" al respirar...

* Escuchar: sentarse en una postura cómoda, cerrar los ojos y permanecer muy atento a todos los

sonidos que lleguen, sin tratar de identificarlos.

* Viajar en tren: observar el ruido monótono del tren, el correr del paisaje ante nosostros...

Se trata, en suma, de dejar de hacer las cosas normales de modo automático. La vida cotidiana, siempre a caballo entre lo divino y lo humano, tiene más que sobrados ingredientes para llevarnos hacia estados que se asemejan mucho a la meditación. Aprovéchate de ello y mejorará tu calidad de vida.

De la Revista "Integral"

La degeneración del mundo se debe
a la preponderancia de la mente
en la naturaleza humana.
Como solución propone que la mente
vuelva a estar al servicio del ser humano completo, y para ello se necesita la meditación.

Osho

La meditación es el único camino real para
el logro de la libertad. Es una escalera misteriosa
que lleva de la tierra al cielo, del error a la verdad,
de la oscuridad a la luz, del dolor a la dicha,
del desasosiego a la paz duradera, de la ignorancia
al conocimiento. De la mortalidad a la inmortalidad.
Sin la ayuda de la meditación no es posible llegar
al conocimiento del Ser.
Ni liberarse de las trampas de la mente.

Sivananda

La lectura hace al hombre informado y docto;
la conversación lo hace ingenioso y desenvuelto;
el arte de escribir, exacto y productivo;
y la meditación, profundo y reflexivo.

Francis Bacon

Qué "No" es Meditación

Meditar no es pensar. La meditación es un estado de no-mente, de conciencia pura, sin contenido. Los pensamientos no se mueven, los deseos no se agitan, te encuentras en completo silencio: ese silencio es meditación.

La única medicina para nuestros problemas, la medicina última, es la meditación, por lo tanto, olvida tus problemas: sólo entra en la meditación.

Meditar tampoco es concentrarse, pues la concentración es un hacer, un acto de la voluntad, la focalización del yo sobre un objeto. Al contrario, ser consciente significa tener una mente despierta, pero no enfocada. La percepción es el conocimiento de todo lo que está sucediendo. La meditación es pura atención sin tensión.

No puedes meditar: puedes estar en meditación. No puedes estar en concentración, pero te puedes concentrar. La concentración es humana, la meditación es divina.

Meditación no es pensar, sino vivir. Vívela cotidianamente, o sea, vive en ella, o deja que ella viva en ti. La meditación es existencial. No es más que la experiencia vital de cada día vivida plenamente. La meditación no es búsqueda, es encuentro.

Meditar no es aislarse del mundo, como lo hacen ermitaños y ascetas. Todo lo contrario, es un reconectarse con el universo, es unión (yoga) con la existencia entera.

La meditación no es un método, una técnica cualquiera. La meditación no es aprender algo, porque en esta dimensión nadie nos puede enseñar nada, ni siquiera el maestro. Meditar es más bien desaprender, deshacernos de nuestro bagaje intelectual, de nuestras posesiones egóticas y, en primer lugar, nuestra mente, nuestras ideas y conceptos.

"Vaciaos y conoceréis". Pero ¿cómo lograrlo? La técnica más sencilla y completa en sí es contestar sin cesar a la pregunta fundamental: "¿Quién soy yo?", el método fundamental de Ramana Maharshi, para quien "si realizamos nuestra verdadera naturaleza en el interior de nuestro corazón, eso es la plenitud de Ser-Conciencia-Bienaventuranza (Sat-Chit-Ananda), sin principio ni fin".

Qué "Sí" es Meditación

Quizá la mejor definición sea esta: "Si la meditación es el arte del éxtasis, también es el arte de la celebración. Es un derecho de nacimiento. Está esperando que te relajes para poder cantar una canción, transformarse en una danza y desaparecer en el estado de absorción divina, como los derviches danzantes. Todas las meditaciones son maneras sutiles de emborracharse de divinidad".

Meditar no tiene nada que ver con la seriedad. Relacionamos falsamente meditación con la imagen del yogui en su posición hierática, sentado en loto, inmóvil e imperturbable, o también tenemos la visión del monje o del ermitaño retirado del mundo. Imaginamos una vida de austeridad y de sacrificio.

Pero meditar nada tiene que ver con la seriedad. Cuando la vocación es genuina y la búsqueda verdadera, la persona dedicada al viaje interior se transforma visiblemente, irradia una cualidad y una presencia luminosa. Todo su ser emana felicidad.

Mientras tanto, aquí estamos, simples humanos, apegados, identificados, sufriendo en la oscuridad, quizás anhelando la luz y la solución a nuestros problemas "existenciales", cuando la vida no es un problema por resolver, sino un misterio a vivir.

De la revista "Integral"

LA MUERTE NO EXISTE

los nueve años era yo una niña impresiona-
ble para quien el temor a la muerte había
llegado a constituir verdadera obsesión.

Mi angustia no escapó a la observación de mi
madre. Un día que arreglaba ella unas macetas, me
mostró de pronto en el tallo de una planta una mariposa saliendo del gusano. "Mira la crisálida", me dijo,
entusiasmada como ante una maravilla. "Aquí está
cuanto se necesita saber acerca de lo que llamamos
la muerte. ¡Qué tontería es temerla! ¡A una cosa que
no existe!"

Había tocado mi punto flaco y tenía mi alma pendiente de sus palabras. Ella continuó: "Fíjate en este
animalito: antes de ser linda mariposa en que se ha
transformado, era ese gusano cuyo cuerpo muerto
estás viendo. No ha hecho más que salir, como el
alma humana de su cuerpo, y cambiar de vestido. En
lugar de hundirse en la tierra, va a volar por el espacio y ha ganado en belleza. ¿Ves qué equivocado
habría estado el gusano si hubiera sentido el horror
a la muerte? Su muerte era esta hermosa resurrec-
ción en una vida mejor".

El maravilloso fenómeno de la metamorfosis me
llenó de tranquila emoción y alegría, porque me dio
la fe en que nada muere y todo se transforma.

Juanita Soriano de Gallont

El temor a la muerte
llega a ser peor que la muerte misma.

Publio Siro

¿Qué Seré?

Una y otra vez he crecido como el pasto:
He experimentado setecientos setenta moldes.
Aparecí como mineral y fui vegetal;
muerto como vegetal me convertí en animal;
Partí del animal y me volví un hombre.

Entonces ¿Por qué he de temer
a desaparecer a través de la muerte?

La próxima vez moriré
y tendré alas y plumas como los ángeles:
Y luego me elevaré más allá de los ángeles.
Aquello que no puedes imaginar.
Eso seré.

Jalaludin Rumi

Sólo a quienes están próximos a morir
les está permitido conocer que la muerte
es una felicidad;
los dioses ocultan este conocimiento
a los que todavía tienen que vivir
para que así puedan seguir el camino de la vida.

Marco Anneo Lucano

No temas a la muerte;
es ella quien, con sus manos de sombra,
nos abre las puertas del cielo.

Voces de Ahaggar

Somos eternos; la vida es infinita.
Jamás morimos; Siempre estaremos juntos
¿Por qué tenerle miedo a la muerte?

Brian Weiss

Si me Voy Antes que Tú...

i me voy antes que tú, no llores por mi ausencia; alégrate por todo lo que hemos amado juntos.

No me busques entre los muertos, en donde nunca estuvimos; encuéntrame en todas aquellas cosas que no habrían existido si tú y yo no nos hubiésemos conocido.

Yo estaré a tu lado, sin duda alguna, en todo lo que hayamos creado juntos: en nuestros hijos, por supuesto, pero también en el sudor compartido tanto en el trabajo como en el placer, y en las lágrimas que intercambiamos.

Y en todos aquellos que pasaron a nuestro lado y que, irremediablemente, recibieron algo de nosotros, y llevan incorporado -sin ellos ni nosotros notarlo- algo de ti y algo de mí.

También nuestros fracasos, nuestra indolencia y nuestros pecados serán testigos permanentes de que estuvimos vivos y no fuimos ángeles, sino humanos.

No te ates a los recuerdos ni a los objetos, porque dondequiera que mires que hayamos estado, con quienquiera que hables que nos conociese, allá habrá algo mío. Aquello sería distinto, pero indudablemente distinto, si no hubiésemos aceptado vivir juntos nuestro amor durante tantos años; el mundo estará ya siempre salpicado de nosotros.

No llores mi ausencia, porque sólo te faltará mi palabra nueva y mi calor de ese momento. Llora, si quieres, porque el cuerpo se llena de lágrimas ante todo aquello que es más grande que él, que no es capaz de comprender, pero que entiende como algo grandioso, porque cuando la lengua no es capaz de expresar una emoción, ya sólo pueden hablar los ojos.

Y vive. Vive creando cada día, y más que antes. Porque yo no sé cómo, pero estoy seguro de que, desde mi otra presencia, yo también estaré creando junto a ti, y será precisamente en ese acto de traer algo que no estaba, donde nos habremos encontrado. Sin entenderlo muy bien, pero así, como los granos de trigo que no entienden que su compañero muerto en el campo ha dado vida a muchos nuevos compañeros.

Así, con esa esperanza, deberás continuar dejando tu huella, para que, cuando tu muerte nos vuelva a dar la misma voz, cuando nuestro próximo abrazo nos incorpore ya sin ruptura a la Única Creación, muchos puedan decir de nosotros: si no nos hubiesen amado, el mundo estaría más triste.

Anónimo

Cuando lloramos por alguien que muere, lo que hacemos, en realidad, es llorar por nosotros mismos. Los que descansan en el Señor, son tan felices; pero nosotros nos quedamos solos y afligidos, llenos de afanes y de temores y por eso lloramos. Cuesta trabajo reconocerlo. Lloramos también porque cuando aún vivía no le dimos todo el cariño que podríamos haberle dado...

Richard English

La muerte es además un desafío.
Nos dice que no perdamos tiempo...
Nos dice que nos digamos ahora mismo
que nos amamos.

Leo Buscaglia

No pierda tiempo en cosas que atraen su atención, pero que no la merecen. El tiempo es precioso, y no debería gastarse en cosas que no tienen relación directa con su meta.

Recuerde dónde está y por qué está aquí. Ningún esfuerzo se hace en vano.

Gurdjieff

En un sobre que se encontró entre sus efectos después de su muerte, el finado jefe de la comisión de energía atómica norteamericana, Gordon Dean, había escrito:

Lecciones aprendidas:

1. Jamás perdamos nuestra capacidad de entusiasmarnos.

2. Nunca perdamos la de indignarnos.

3. Nunca juzguemos con apresuramiento a un hombre; pero, si es necesario hacerlo, supongamos que es bueno o, cuando menos, que se encuentra en aquella zona nebulosa situada entre el bien y el mal.

4. Si no podemos ser generosos cuando es difícil serlo, tampoco lo seremos cuando sea fácil.

5. Lo que infunde más confianza en sí mismo es poder hacer algo bien, cualquier cosa que sea.

6. Cuando logremos esa confianza esforcémonos por ser humildes, pues tampoco entonces seremos tan superiores a los demás.

7. Y la manera de hacerse uno realmente útil es buscar lo mejor que otros cerebros pueden ofrecer. Asimilemos sus enseñanzas, y reconozcamos sus méritos cuando nos hayan ayudado.

8. Las mayores tragedias internacionales y personales se derivan de la mutua falta de entendimiento. Tratemos de conocernos mejor.

Si la Construcción de un puente no enriquece la conciencia de aquellos que laboran en ella, entonces ese puente no debe ser construido.

Frantz Fanon

Quien hace reír a sus amigos es digno del paraíso.

El Corán

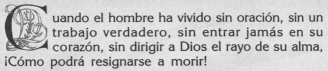

uando el hombre ha vivido sin oración, sin un trabajo verdadero, sin entrar jamás en su corazón, sin dirigir a Dios el rayo de su alma, ¡Cómo podrá resignarse a morir!

La muerte lo aplasta y lo subleva; es una fuerza cruel, que llega a destrozar su marcha, su voluntad y sus esperanzas.

La muerte lo arranca de este mundo, para nunca más volver, la vida se rompe sin esperanza de recuperación.

Lejos de recogerlo dulcemente en el eterno centro, la muerte lo destruye.

Gratry

La Muerte es una nodriza afectuosa y severa;
cuando llega la hora, viene a decirnos:
«Señorito Henry, es hora de acostarse».
Nosotros nos defendemos un poco; sin embargo,
sabemos bien que la hora del reposo ha llegado,
y, en el fondo de nuestro corazón,
es a este reposo a lo que aspiramos.

Henry G. Wells

Sobre tu vida consúltate a ti mismo;
mira lo que te es dañoso y no te lo des;
porque no todo conviene a todos,
ni a todos les gusta todo.

Eclesiástico

Estad en este mundo como si no estuvierais;
poseed como si no poseyerais,
porque todo es pasajero en este mundo.

Anatole France

Si amas a tu hijo o a tu mujer, acuérdate que es
mortal lo que amas, y por este medio te librarás
del impensado sobresalto
cuando la muerte te los arrebate...

Epicteto

Morir es tan natural como nacer,
para el hombre la muerte viene a ser un descanso
pues cura todos aquellos males que no tiene
remedio y que la nostalgia en el corazón de los
vivos -cálida y permanente- es el privilegio de los
que ya se han ido para siempre.

Anónimo

Los hombres que condenan
es porque no comprenden...

El Corán

Todo lo que somos
es el resultado de lo que hemos pensado.
Se funda en nuestros pensamientos;
está hecho de nuestros pensamientos.

El Dhammapada

Sea consciente de que el alma sufre
si se vive superficialmente.

Albert Schweitzer

Escucha a tu corazón. El conoce todas las cosas
porque viene del Alma del Mundo
y un día retornará a ella.

Paulo Coelho

El Hombre
y el Mundo

¿Cuándo el hombre se Volverá Hombre?

 uando ya no confunda... Egoísmo con altruismo. Brutalidad con virilidad. Esclavitud con amor. Servilismo con bondad.

Cuando ya no confunda... Intoxicación con nutrición. Delicadeza con homosexualidad. Sabiduría con erudición. Vida con existencia.

Cuando ya no sea guiado por el miedo... la envidia, ni por el eterno sentimiento de inferioridad.

El "hombre" sólo será hombre cuando tome conciencia de su inocencia, conciencia de su pobre vanidad y de su inteligencia delante del universo.

Cuando abandone a su dios-tirano-verdugo y se entregue al dios puro y sencillo que no sabe castigar un insecto.

Cuando aprenda a valorizar más el amor entre él y una mujer, que el inútil certificado de matrimonio.

Cuando engendre hijos para amarlos y no para adquirir seguridad.

Cuando haga del dinero un medio y no un fin.

Cuando aprenda a diferenciar la educación de la domesticación. La moral de la represión. El arte de la técnica. La ternura de la franqueza. El orgasmo de la eyaculación.

Un "hombre" sólo será hombre cuando pueda estar consigo mismo y cuando el saber lo lleve a traspasar las máscaras extrañas.

Cuando las lágrimas sean aceptadas y la sensibilidad tratada en clínicas; cuando el cuerpo sea fuerte y ágil y la ignorancia no encuentre más refugio en la tierra.

El "hombre" sólo será hombre cuando mire en los ojos de los otros y tenga en la mujer, el más sólido pilar de existencia; en la naturaleza a su guía; en la muerte, a la transformación permanente.

Cuando pueda cambiar el alcohol y la heroína por un grito de autoaceptación y cuando la voz sea serena en vez de gritada e histérica.

Cuando el sexo no sea sólo gentileza, sino sensualidad, espiritualidad, amistad, pureza y respeto profundo... Y cuando la desnudez humana sea tan hermosa como la desnudez de los follajes.

Cuando los hijos no sean sometidos a las neurosis paternas, ni las creencias sean enfermedades de las religiones.

Cuando la mentira vaya dejando lugar a la realidad mutativa de los hechos.

Cuando el caminar sea libre y seguro y cuando la cantidad pierda el trono por la calidad.

Cuando el "hombre" pueda permanecer solo con una mujer sin sentir el neurótico deseo de copular con ella.

Cuando los delincuentes reciban afecto y no más calabozos infectos.

Cuando los profesores sean sustituidos por maestros y cuando el "Yo" sea maestro del "yo".

Cuando el "hombre" porte libros en lugar de pistolas; una expresión sobria en vez de máscaras sonrientes.

Cuando el "hombre" baile música de Strauss, en vez de marchar a guerras estúpidas y masacres salvajes.

Cuando el "hombre" sustituya los bares por bibliotecas; los estadios por casas de amor; los casinos por reuniones científicas.

En fin; cuando el "hombre" sienta que todo pasa y que todo vuelve; que el centro de todas las cosas está aquí y allá... Entonces, él dejará de ser lo que es y entenderá tanto la vida como la existencia.

Ezio Flavio Bazzo
(Brasília-Brasil)

Estatutos del Hombre

Artículo 1

Queda decretado que ahora vale la vida, que ahora vale la verdad, y que de manos dadas trabajaremos todos por la vida verdadera.

Artículo 2

Queda decretado que todos los días de la semana, inclusive los martes más grises, tienen derecho a convertirse en mañanas de domingo.

Artículo 3

Queda decretado que, a partir de este instante, habrá girasoles en todas las ventanas, que los girasoles tendrán derecho a abrirse dentro de la sombra; y que las ventanas deben permanecer el día entero abiertas para el verde donde crece la esperanza.

Artículo 4

Queda decretado que el hombre no precisará nunca más dudar del hombre. Que el hombre confiará en el hombre como la palmera confía en el viento, como el viento confía en el aire, como el aire confía en el campo azul del cielo.

Parágrafo único: El hombre confiará en el hombre como un niño confía en otro niño.

Artículo 5

Queda decretado que los hombres están libres del yugo de la mentira. Nunca más será preciso usar la coraza del silencio ni la armadura de las palabras. El hombre se sentará a la mesa con la mirada limpia, porque la verdad pasará a ser servida antes del postre.

Artículo 6

Queda establecida, durante diez siglos, la práctica soñada del profeta Isaías, y el lobo y el cordero pastarán juntos y la comida de ambos tendrá el mismo gusto a aurora.

Artículo 7

Por decreto irrevocable queda establecido el reinado permanente de la justicia y de la caridad. Y la alegría será la bandera generosa para siempre enarbolada en el alma del pueblo.

Artículo 8

Queda decretado que el mayor dolor siempre fue y será siempre no poder dar amor a quien se ama, sabiendo que es el agua quien da a la planta el milagro de la flor.

Artículo 9

Queda permitido que el pan de cada día tenga en el hombre la señal de su sudor, pero que sobre todo tenga siempre el caliente sabor de la ternura.

Artículo 10

Queda permitido a cualquier persona, a cualquier hora de la vida, el uso del traje blanco.

Artículo 11

Queda decretado, por definición, que el hombre es un animal que ama, y que por eso es bello, mucho más bello que la estrella de la mañana.

Artículo 12

Decrétase que nada estará obligado ni prohibido. Todo será permitido, inclusive jugar con los rinocerontes, y caminar por las tardes con una inmensa begonia en la solapa.

Parágrafo único: Sólo una cosa queda prohibida:
Amar sin amor.

Artículo 13

Queda decretado que el dinero no podrá nunca más comprar el sol de las mañanas venideras. Expulsado del gran baúl del miedo, el dinero se transformará en una espada fraternal, para defender el derecho de cantar y la fiesta del día que llegó.

Artículo Final

Queda prohibido el uso de la palabra libertad, la cual será suprimida de los diccionarios y del pantano engañoso de las bocas.

A partir de este instante la libertad será algo vivo y transparente, como un fuego o un río, y su morada será siempre el corazón del hombre.

Thiago di Mello

("Es de Noche pero Yo Canto")

Receta para el Éxito

Reírse frecuentemente y mucho.

Ganarse el respeto de las personas inteligentes y el afecto de los niños.

Ganarse la estima de los críticos sinceros y soportar la traición de los falsos amigos.

Apreciar la belleza. Encontrar en los demás lo mejor.

Dejar este mundo un poco mejor, ya sea por un niño saludable, un jardín, o una condición social mejorada.

Saber que por lo menos una vida se ha pasado mejor porque usted existió.

Esto es haber tenido éxito.

Emerson

Persistencia

Nada, nada en el mundo puede reemplazar la persistencia.

No lo hará el talento: Nada es más común que hombres de gran talento... fracasados.

No lo hará el genio: Es casi proverbial un genio que no recibe recompensa.

No lo hará la instrucción: El mundo está lleno de personas instruidas que andan a la deriva.

Sólo la persistencia y la decisión son omnipotentes.

Ray Kroc

Para obtener un buen escudo,
ponte en pie en el interior de ti mismo.

Henry David Thoureau

Benditos Mis Competidores

Que me hacen levantar más temprano y me rinde más el día.

Que me obligan a ser más atento, competente y disciplinado.

Que me comprometen a aguzar mi inteligencia, para mejorar mis servicios.

Que me imponen la diligencia, pues si no existieran sería yo flojo, incompetente y retrógrado.

Que callan mis virtudes y gritan a voz en cuello mis defectos y así los puedo corregir.

Que me hacen ver en cada cliente, un hombre al que debo servir y no explotar; lo que me da un amigo en cada uno.

Que me hacen tratar humanamente a mis compañeros para que se sientan parte de mi equipo y rindan más con entusiasmo.

Que han acrecentado en mí, el anhelo de superación y de mejoramiento.

Que por su presencia me ha convertido en factor de progreso y prosperidad para mi empresa.

Ave ¡competidores yo os saludo! que el Señor os dé larga vida.

Anónimo

La gran sabiduría está en sentirse satisfecho con poca cosa, quien aumenta sus riquezas aumenta sus cuidados; pero una mente contenta es un tesoro oculto a quien no alcanzan las calamidades.

...del Archivo Tibetano

Quien abre su corazón a la ambición lo cierra a la tranquilidad.

Sabiduría Oriental

Diez Normas de Vida

 Sé fuerte,
justo y alegre.

II. Camina con la frente elevada,
vive modestamente.

III. Ante la firmeza de carácter y de decisión...
No existe lo imposible.

IV. Aunque pierdas en la discusión,
vence en la práctica.

V. Con buenas cualidades...
No hay malos amigos.

VI. Esfuérzate en comprender antes de hablar bien.

VII. Véncete tú mismo
y sé tolerante con los demás.

VIII. No te apures, no descanses,
ni tampoco te descuides.

IX. En el camino de la superación
y del progreso... No existe límite.

X. Trabaja cordialmente con los demás.

Código Japonés

He aquí una lista de los verdaderos siete pecados capitales:

Riqueza sin trabajo,
Placer sin conciencia,
Conocimientos sin carácter,
Negocios sin moral,
Ciencia sin amor a la humanidad,
Religiosidad sin sacrificio y
Política sin principios.

Mahatma Gandhi

Había un hombre que tenía noventa años y estaba plantando un árbol. Tres jovencitos pasaron cerca y lo vieron y corrieron alrededor de él y se burlaron. Se dijeron unos a otros: "¡Sería comprensible que hiciera algo con las manos para matar el tiempo, pero, plantar árboles a su edad!".

El hombre continuó trabajando, como si no los hubiese oído. En silencio cavó un pozo y plantó su árbol. No mucho después, el anciano murió.

Treinta años después, los jovencitos se habían convertido en hombres maduros, y al pasar frente a un árbol contemplaron complacidos sus frutos y los arrancaron y compartieron pero no lo reconocieron.

Liv Ullman

La guerra es una invención de la mente humana; y la mente también puede inventar la Paz.

Sir Winston Churchill

Cuatro cosas hay que no vuelven:
La flecha arrojada. La palabra ya dicha.
La oportunidad desperdiciada. La vida pasada.

Proverbio Arabe

Si sois prudentes,
observaréis atentamente a los hombres
para que no os oculten lo que piensan.

Solón

El fracaso se convertirá en éxito
si somos capaces... de aprender de él.

Malcolm Forbes

Toma nota del consejo del hombre que te ama,
aunque no te guste de momento.

Blas Pascal

Conceptos de Oro

Sé justo, porque la equidad es el sostén del género humano.

Sé bueno, porque la bondad encadena a todos los corazones.

Sé indulgente, porque eres débil y porque vives entre seres tan débiles como tú.

Sé agradecido, porque el reconocimiento alimenta y sostiene la bondad.

Sé modesto, porque el orgullo subleva a los seres pagados por sí mismos. Perdona las injurias, porque la venganza eterniza los odios.

Haz bien al que te ultraje, a fin de mostrarte más grande que él y convertirlo en amigo.

Sé consecuente, temperante y casto, porque la voluptuosidad, la intemperancia y los excesos destruyen a tu ser y te hacen despreciable.

Sé buen ciudadano, porque la Patria es necesaria a tu seguridad y a tu bienestar.

Sé fiel y sumiso a la autoridad legal.

Defiende a tu país, porque es el que te hace dichoso y porque encierra todos los lazos y a todos los seres queridos a tu corazón, pero no olvides nunca que la humanidad tiene sus derechos.

Ama siempre con fervor. Si amas, no es este amor el que forma parte de tu destino. La conciencia que habrás encontrado en el fondo de este amor, será lo que modifique tu vida.

Ten voluntad, mucha voluntad. La voluntad de la sabiduría tiene el poder de rectificar todo lo que no hiere mortalmente nuestro cuerpo.

Ten resignación en los casos inevitables de la vida, pero en todos los hechos en que la lucha es posible, la resignación no es sino ignorancia, impotencia o presas disfrazadas. Aprende poco a poco a apesadumbrarte sin lágrimas.

No te olvides nunca que llega un momento en la vida en que la belleza moral parece más necesaria que la belleza intelectual.

No te turbes nunca cuando te figures que una ley moral desaparece, siempre hay otra más grande en reserva.

Mejora sin descanso la calidad de amor que das a los hombres. Una copa de este amor tomada en las cimas, vale cien de las que se recogen en las cisternas estancadas de la caridad vulgar.

Ama siempre desde el punto más alto que puedas alcanzar. No ames por compasión, cuando puedas Amar por Amor; no perdones por bondad, cuando puedes perdonar por justicia; no enseñes a consolar cuando puedes enseñar a respetar.

De la Antigua Sabiduría...

Quien alimenta el odio, arroja fuego al propio corazón.

Quien sustenta el vicio, encarcélase en él.

Quien cultiva la ociosidad, forma nieve en torno de sí.

Quien se encoleriza, lanza piedras sobre sí mismo.

Quien no quiere soportar, es incapaz de servir.

Quien provoca situaciones difíciles,
aumenta los obstáculos en que se halla.

Quien se precipita en juzgar,
es siempre analizado deprisa.

Quien se especializa en la identificación del mal,
difícilmente verá el bien.

Quien vive coleccionando lamentaciones,
caminará bajo una lluvia de lágrimas.

Francisco Cándido Xavier

Plegaria del Árbol

Tú que pasas y levantas contra mí tu brazo, que inconscientemente me zarandeas, antes de hacerme daño ¡mírame bien!

Yo soy el armazón de tu cuna, la madera de tu barca, la tabla de tu mesa, la puerta de tu casa, la viga que sostiene tu techo, la cama en que descansas.

Yo soy el mango de tu herramienta, el bastón de tu vejez, el mástil de tus ilusiones y esperanzas. Yo doy el fruto que te nutre y calma tu sed, la sombra bienhechora que te cobija contra los ardores del sol, el refugio bondadoso de los pájaros que alegran con su canto tus horas y que limpian tus campos de insectos.

Yo soy la hermosura del paisaje, el encanto de tu huerta, la señal de la montaña, el lindero del camino.

Soy el calor de tu hogar en las noches frías y largas del invierno, el perfume que embalsama a todas horas el aire que respiras, el oxígeno que vivifica tu sangre y con ello la salud de tu cuerpo, la alegría de tu alma; y hasta el fin, yo soy el ataúd que te acompaña al seno de la tierra.

Por eso, tú que me miras, tú que me plantaste con tus manos, tú que me diste el ser y que puedes llamarme hijo..., óyeme bien, mírame bien... ¡y no me hagas daño!

Anónimo

Si sirves a la Naturaleza, ella te servirá a ti.
Confucio

No vemos la Naturaleza con los ojos sino con la comprensión de nuestros corazones.
Willian Hazlitt

Sólo esto te Pido...

n pedazo de tierra para posar mi planta y
ahí una huella sabia que conduzca la mía.
Sobre mi frente un techo;
bajo el techo una llama.

Un pan que nunca falte y una esposa sencilla:
la esposa, como el pan, humilde, buena, casta;
el pan, como la esposa, de suavidad benigna.

Un amigo y un libro.
Salud, pero no tanta como para olvidar
que he de morir un día.

Un hijo que me enseñe que soy Tu semejanza.
Un rincón en el cielo donde anidar mis ansias,
con una estrella, para saber que Tú me miras.

Sosiego en el espíritu, gratitud en el alma...
Eso pido, Señor, y, al final de la vida,
dártelo todo a cambio de un poco de esperanza.

Armando Fuentes Aguirre

Si le amo en mi corazón, ¿por qué no decírselo?
Si le deseo con mi cuerpo, ¿por qué no decírselo?

El Shih Ching

Los bosques serían demasiado silenciosos
si cantaran sólo los pájaros que mejor lo hacen.

Henry van Dike

No hay ladrones. Te roban siempre lo que te sobra.

José Camón Aznar

El alma no puede tener secretos
sin que la conducta lo revele...

Papini

Darse Tiempo

Darse tiempo para pensar...
(este es el origen del poder)
Darse tiempo para jugar...
(este es el secreto de la eterna juventud)

Darse tiempo para leer...
(esta es fuente de sabiduría)

Darse tiempo para orar...
(este es el mayor poder en la tierra)

Darse tiempo para amar y ser amado...
(este es un privilegio dado por Dios)

Darse tiempo para ser amistoso...
(este es el camino de la felicidad)

Darse tiempo para reír...
(este es la música del alma)

Darse tiempo para trabajar...
(este es el precio del éxito)

Darse tiempo para dar...
(un día es demasiado corto para ser egoísta).

Anónimo

Nunca hubiera podido hacer lo que hice
sin los hábitos de puntualidad, orden y
diligencia, o sin la determinación de concentrarme
en un solo tema a la vez.

Charles Dickens

No interrumpa un trabajo para iniciar otro,
si lo hace es muy probable que ambos queden
sin terminar cuando el segundo trabajo sea
interrumpido por un tercero.

K. Gleeson

Esfuércese por realizar el hecho de que es usted un divino peregrino, el cual se encuentra aquí sólo por un tiempo muy breve, para luego partir hacia otro mundo diferente y fascinante.

No limite su pensamiento, centrándolo exclusivamente en una breve vida, en un pequeño planeta; recuerde la vastedad del Espíritu que mora en el interior de su propio ser.

Yogananda

El cuerpo es impermanente,
todas nuestras riquezas transitorias,
los hijos y la esposa son sombras.
Unicamente las buenas acciones
son compañeras perdurables.
El que comprende esta verdad
es un verdadero hombre.

Rabindranath

Morir es dormirse entre los hombres
y despertar entre los ángeles.

Antonio Aparisi y Guijarro

La vida vale por el uso que de ella hacemos,
por las obras que realizamos.
No ha vivido más el que cuenta más años,
sino el que ha sentido mejor un ideal.

José Ingenieros

No lo olvides nunca:
el espíritu es un rey dentro de ti.
Tú eres espíritu; por ello, compórtate como un rey.

Yesudian

Decálogo de la Serenidad

ólo por hoy, trataré de vivir exclusivamente el día, sin querer resolver el problema de mi vida de una vez.

2. Sólo por hoy, tendré el máximo cuidado de mi aspecto; de ser cortés en mis maneras; de no criticar a nadie ni pretender disciplinar a nadie, sino a mí mismo.

3. Sólo por hoy, me adaptaré a las circunstancias, sin querer que las circunstancias se adapten a mis deseos.

4. Sólo por hoy, dedicaré 30 minutos de mi tiempo a una buena lectura recordando que así como el alimento es necesario para la vida del cuerpo, la buena lectura es necesaria para mi mente y mi espíritu.

5. Sólo por hoy haré una buena acción en favor de alguien que solamente yo sabré.

6. Sólo por hoy, haré dos acciones positivas que no sean de mi agrado y procuraré que nadie se entere.

7. Sólo por hoy, seré feliz con la certeza de que he sido creado para la felicidad.

8. Sólo por hoy, haré un programa detallado. Quizá no lo cumpliré cabalmente, pero lo redactaré. Y me guardaré de dos calamidades, la prisa y la indecisión.

9. Sólo por hoy, creeré firmemente, aunque las circunstancias me sean contrarias, que la buena providencia de Dios se ocupa de mí como si nadie más existiera en el mundo.

10. Sólo por hoy, no tendré temores, de modo particular no tendré miedo a gozar de lo que es bello y de creer en la bondad. Puedo hacer durante un día lo que me descorazonaría si pensase tener que hacerlo durante toda mi vida...

Juan XXIII

Una Palabra...

Una palabra cualquiera puede ocasionar una discordia.
Una palabra cruel puede destruir una vida.
Una palabra amarga puede crear odio.
Una palabra brutal puede golpear y matar.
Una palabra agradable puede suavizar el camino.
Una palabra a tiempo puede ahorrar un esfuerzo.
Una palabra alegre puede iluminar el día.
Una palabra con amor y cariño puede curar y bendecir.

Amado Nervo

Cuando se pierde dinero no se pierde nada.
Cuando se pierde salud se pierde algo.
Cuando se pierde la paz se pierde todo.

Proverbio chino

La paciencia tiene más poder que la fuerza.

Plutarco

Dichoso aquel que oye un insulto
y simula ignorarlo,
evita un centenar de males.

El Talmud

No trabajes por ser bello de rostro:
sé más bien bello de obra...

Pates Tales

Si no levantas los ojos
creerás que eres el punto más alto.

Antonio Porchia

Código Ético

Cada mañana al despertar, y cada noche antes de dormir, da gracias por la vida que fluye dentro de ti, por todas las manifestaciones de la vida, por todo lo bueno que el Creador te ha dado y les ha dado a los demás, y por la oportunidad de crecer cada día un poco más. Debes dar gracias por los pensamientos y las acciones del día anterior, y por la decisión de perfeccionarse y la fuerza que te lleva a esforzarte por conseguirlo. Debes pedir que sucedan cosas que beneficien a todos.

2. El respeto. Respetar significa sentir admiración o tenerle estimación a alguien o a algo; tomar en cuenta su bienestar o tratarlo con deferencia y cortesía. Mostrar respeto es una ley fundamental de la vida.

-Tratar siempre con respeto a todos, desde el niño más pequeño a la persona más anciana.

-Tratar con respeto especial a los mayores, a nuestros padres, a los maestros y a los dirigentes de la comunidad.

-No rebajar a nadie; evitar herir a otros corazones así como evitarías un veneno mortífero.

-No tocar nada que pertenezca a otra persona (especialmente los objetos sagrados) sin que te hayan dado permiso o por un acuerdo entre los dos.

-Hablar en voz baja, sobre todo en presencia de los mayores, los desconocidos y otras personas que merecen especial respeto.

-No interrumpir jamás a otras personas cuando están hablando.

-Respetar la intimidad de todos. No interrumpir a nadie cuando esté en el silencio o cuando se haya aislado en su espacio personal.

Ganadores vs. Perdedores

El ganador ve siempre una solución en cada problema. El perdedor ve siempre un problema en cada solución.

☙El ganador tiene siempre una respuesta para cada pregunta. El perdedor tiene siempre una pregunta para cada respuesta.

☙El ganador hace sencillas las cosas difíciles. El perdedor hace difíciles las cosas sencillas.

☙El ganador ve en la crisis una oportunidad de crecimiento. El perdedor ve en una oportunidad de crecimiento una crisis.

☙El ganador ve en el nuevo día una oportunidad de trascender. El perdedor pierde la oportunidad de trascender en el nuevo día.

☙El ganador sabe que puede porque Dios lo sostiene. El perdedor sostiene que no puede porque Dios no quiere.

☙El ganador encuentra en su familia un estímulo de superación. El perdedor acusa a su familia de ser un obstáculo en su superación.

☙El ganador dice: lo puedo hacer hoy antes que sea demasiado tarde. El perdedor dice: es demasiado tarde, no lo puedo hacer hoy.

☙El ganador ve campos verdes detrás de cada piedra. El perdedor ve muchas piedras antes de los campos verdes.

☙El ganador siempre es parte de la solución. El perdedor dice: es posible pero muy difícil.

☙El ganador piensa que su buena suerte es consecuencia de su buen trabajo.

Anónimo

a oración es el acto omnipotente
que pone las fuerzas del cielo
a disposición de los hombres.

Lacordaire

La oración no cambia a Dios
pero sí cambia a quien ora.

Kierkegaard

No apartes los ojos del necesitado
y no des al hombre ocasión de maldecirte;
pues si te maldice en la amargura de su alma,
su Hacedor escuchará su oración.

Eclesiástico

Orar no sólo es pedir sino también:
callar, meditar, cantar, alabar, dar gracias,
pedir perdón, ofrecer.

San Patricio

Rezar, aun cuando sea sólo por unos instantes,
mejora nuestra vida
y la hace más fructuosa y dinámica.

Alexis Carrel

Sed perfectos como lo es vuestro Padre
que está en los cielos...

Mateo 5:48

La oración es la llave de la mañana
y el cerrojo de la noche.

Owen Feltham

consideración. Darles la mejor comida, las mejores frazadas y la mejor habitación, y atenderlos de la mejor manera posible.

6. Lo que daña a uno daña a todos; el reconocimiento recibido por uno es de todos.

7. Recibir a los desconocidos y forasteros con una actitud afectuosa, como miembros de la familia humana.

8. Todas las razas y tribus del mundo son como flores de distintos colores que florecen en la misma pradera. Todas son hermosas. Por ser hijos del Creador, todos merecen respeto.

9. Servir a los demás, o ser útil a la familia, la comunidad, la nación o el mundo, es uno de los propósitos principales por los cuales han sido creados los seres humanos. No te preocupes de tus propios asuntos ni olvides tu tarea más importante. Quienes consagran su vida al servicio de los demás son los únicos que conocen la verdadera felicidad.

10. Actuar con moderación y respetar el equilibrio en todas las cosas.

11. Saber qué contribuye a tu bienestar y qué te conduce a la destrucción.

12. Prestar atención a los consejos que te dan y seguirlos desde el corazón. Estar abierto a recibir consejos que te lleguen de muchas maneras: en la oración, en los sueños, cuando estás solo y en silencio, y a través de las palabras y actos de los mayores y de los amigos sabios.

Del Gran Concejo de Ancianos indígenas, dirigentes
culturales y profesionales de varias comunidades de toda
América del Norte, reunidos en Lethbridge
Canadá - Diciembre de 1982

-No interrumpir a dos personas que están conversando.

-No hablar en las reuniones donde están presentes los mayores, a menos que te inviten a hacerlo (excepto para preguntar qué es lo que se espera de ti, si no lo tienes claro).

-No hablar nunca mal de nadie, ya sea delante de la persona o cuando no está presente.

-Tratar a la Tierra, en todos sus aspectos, como a tu madre. Mostrar un profundo respeto por el mundo mineral, el mundo vegetal y el mundo animal. No hacer nada que contamine al aire o al suelo. Si otros pretenden destruir a nuestra madre, erguirse con sabiduría para defenderla.

-Mostrar un profundo respeto por las creencias y las religiones de los demás.

-Escuchar con cortesía a los demás, incluso si sientes que lo que dicen no tiene valor.

-Escuchar con el corazón.

3. Respetar la sabiduría del pueblo en sus concejos o reuniones. Una vez que has aportado una idea o un consejo a una reunión, ella ya no te pertenece. Pertenece al pueblo. El respeto exige que escuches con cuidado las ideas de los otros miembros del Concejo y que no insistas en que tu idea es la mejor. Debes apoyar con mucha libertad las ideas de los demás si son verdaderas y buenas, inclusive si son muy diferentes de las que tú has aportado. El choque entre las ideas enciende el chispazo de la verdad.

Una vez que el Concejo ha decidido algo de común acuerdo, el respeto exige que nadie hable en secreto en contra de lo decidido. Si el Concejo ha cometido un error, ese error quedará claro ante todos con el paso del tiempo.

4. Actuar con honestidad en todo momento y en toda circunstancia.

5. Tratar siempre a tus huéspedes con respeto y

odo individuo tiene la precaución de no dejarse engañar por su vecino. Pero llega el día en que comienza a preocuparse de no ser él quien engañe a su vecino. Entonces todo anda bien. Ha cambiado su humilde carretón por una carroza del sol...

Emerson

Aquel que mira a una mujer que no es su esposa como a una mujer; la riqueza que no es suya, como el polvo; y a todos los hombres como a él mismo... es un hombre feliz. Aquél que mira todas estas cosas bajo una luz diferente, es un ciego...

Chanakya

Me parece que el secreto de la vida consiste simplemente en aceptarla tal cual es...

San Juan de la Cruz

El placer es breve como un relámpago. Entonces, ¿por qué desear los placeres?

Sidharta Gautama

A veces la ayuda puede debilitar a un ser humano.

Robert Fisher

Es preferible esperar mucho tiempo para unirse que hacer una mala unión.

El I Ching

Igual que el río retorna al mar, la dádiva del hombre revierte en él.

Sabiduría Oriental

El Legado de mi Padre

Tuve un padre maravilloso. Yo era su única hija. En 1907 me llamó y me dijo: "voy a morir y no tengo nada que dejarte. Tendrás que salir a luchar por la vida. ¿Cómo lo harás? Ni eres bonita ni lo serás nunca. No tienes nombre. No tienes dinero. Pero voy a dejarte una herencia. Tres máximas sencillas. Si las observas, el mundo será tuyo.

La Primera, **nunca temas la opinión de los demás.** La gente se preocupa del ¿qué dirán? más que de cualquier otra cosa en el mundo. Grandes generales, con enormes ejércitos bajo su mando, pelean valientemente contra los enemigos más formidables, pero suelen aterrarse del "¿qué dirán?".

La segunda -me dijo- es aún más importante. **No acumules cosas materiales.** No lo hagas, so pena de convertirte en esclava de ellas. Así, pensé yo, cuanto más poseamos más esclavos seremos; he vivido siempre tan libre como el aire, y esto es maravilloso.

Y la tercera máxima, que es la que me ha proporcionado mayores satisfacciones: **Procura ser siempre quien primero se ría de ti.** Todos tenemos algo de ridículo y todo el mundo goza con reírse a expensas de los demás. Cuando seas la primera en reírte de tus defectos, la risa del prójimo no te hará mella alguna sino que rebotará como si estuvieses protegida por una armadura de oro. También he seguido siempre este consejo.

*De una radiodifusión
hecha por la C.B.S.*

Debes aligerar tu carga si quieres
llegar a tu destino.
¡Cuán diferente eres ahora del infante
que fuiste! Llegaste a este mundo sin nada,
pero con los años te dejaste sobrecargar
con tanto equipaje pesado,
en nombre de la seguridad,
que tu viaje por la vida se ha convertido
en un castigo en vez de placer.
Aligera tu carga a partir de hoy.

Og Mandino

No es aquello que comemos
sino lo que digerimos, lo que nos da salud y vigor.

No es aquello que ganamos
sino lo que ahorramos, lo que nos hace ricos.

No es aquello que leemos
sino lo que comprendemos, lo que nos da sabiduría.

No es aquello que predicamos, sino lo que
practicamos, lo que nos hace cristianos.

Francis Bacon

El que no perdona se castiga a sí mismo,
guarda amargura interior, ahuyenta el gozo
y la paz. Dios no lo puede perdonar,
porque si no sabe perdonar,
tampoco sabrá pedir perdón
con sencillez y humildad...

Madre Teresa de Calcuta

Cuando encontréis a vuestro amigo
a la vera del camino o en el mercado,
dejad que el espíritu en vosotros
mueva vuestros labios y dirija vuestra lengua.

Kahlil Gibrán

El Amor Está Sobre Todo

El amor está sobre todo: sobre la patria, sobre la religión, sobre la voluntad de los hombres y el poder de los dioses... Cuando el corazón ama, todo otro sentimiento se pierde, por insignificante, en la inmensidad del amor, como en la inmensidad del mar se perderían, si en él se arrojaran, todos los tesoros del mundo.

Todas las flaquezas, todas las concesiones, todas las cobardías de nuestro espíritu, son obra del amor, de la simpatía. Por ella concedemos a los demás cualidades que en realidad no poseen, y nos creemos obligados a mostrarles, en cambio, cualidades que nosotros no poseemos.

El único camino de nuestra redención es el amor.

Jacinto Benavente

El propósito de llegar a lo divino
puede resumirse en una sola palabra: AMOR.
Fija esta palabra en tu corazón
para que jamás se vaya, pase lo que pase.
Y si algún pensamiento te mueve a preguntarte
qué es lo que quieres,
responde con esta única palabra.

Angelus Silesius

El castigo entra en el corazón del hombre
desde el momento en que se comete el crimen..

Hesiodo

Si llegas a comprender a tu enemigo,
podrás amarlo.

Trigueriño

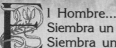El Hombre...
Siembra un pensamiento y recoge una acción.
Siembra una acción y recoge un hábito.
Siembra un hábito y recoge un carácter.
Siembra un carácter y recoge un destino.

Sivananda

El amor es la más potente fuerza del mundo.
Si un solo hombre consiguiese vivir alguna vez
la más elevada forma de amor,
ello bastaría para neutralizar
el odio de millones de otros hombres.

Mahatma Gandhi

Muy poco enseñó la vida a quien
no ha aprendido a soportar el dolor.

Miguel de Cervantes

Nunca desperdicies la oportunidad
de expresar tu amor.

H. Jackson Brown, Jr.

Más joven se levanta cada mañana
el hombre bueno.

José Martí

Al juzgar a otro, fallas contra ti.

José Camón Aznar

Donde no hay amor,
poned amor y recogeréis amor.

Sidharta Gautama

Errores que Comete la Gente...

La engañosa creencia de que el progreso propio se logra pasando por encima de los demás.

2. La tendencia a preocuparse por cosas que no tienen remedio.

3. Insistir que algo es imposible porque no podemos lograrlo.

4. Descuidar el refinamiento y el desarrollo mental y no adquirir el hábito del estudio y la lectura.

5. Intentar obligar a los demás a pensar y vivir como nosotros.

Cicerón (Siglo I A.C.)

Donde el alma no teme y la cabeza se mantiene erguida...

Donde el mundo no ha sido convertido en fragmentos por mezquinos muros domésticos...

Donde las palabras brotan de la verdad profunda...

Donde se lucha sin cansancio y los brazos se tienden hacia la perfección...

Donde la razón discurre claramente y no se pierde en las lúgubres arenas desérticas de la rutina estéril...

Donde Tú llevas el espíritu a pensamientos y actos cada vez más altos... Permite, Dios mío, que en ese paraíso de libertad despierte mi pueblo.

Rabindranath Tagore

Felices de los creyentes que jamás se desalientan
y que, en los inviernos del corazón,
esperan la vuelta de las golondrinas.

Eliphas Levi

Evolución significa acercarse al amor. Los seres más evolucionados experimentan y expresan más amor. La verdadera grandeza o pequeñez de los seres está determinada únicamente por la medida de su amor...

Jorge Barrios

No quise seguir siendo el acróbata de sueños falsos y falsas esperanzas, no hay nada mejor que amar a alguien y dar la vida para hacer que sea feliz...

John Lennon

Tú eres mi hermano porque eres un ser humano y ambos somos hijos de un único Espíritu Santo; somos iguales y estamos hechos de la misma tierra. Eres mi compañero en el sendero de la vida y mi ayuda para comprender el significado de la verdad oculta. Eres humano y esto basta para que te ame como hermano...

Kahlil Gibrán

Paciencia y tiempo... todo llega a su debido tiempo. No se puede apresurar una vida, no se puede resolver según un plan, como tanta gente quiere. Debemos aceptar lo que nos sobreviene en un momento dado y no pedir más. Pero la vida es infinita; jamás morimos; jamás nacimos, en realidad. Sólo pasamos por diferentes fases. No hay final. Los humanos tienen muchas dimensiones. Pero el tiempo no es como lo vemos, sino lecciones que hay que aprender.

Brian Weiss

Escuela de Amor

La universidad en donde se aprende a amar es el hogar. Los catedráticos son los padres. Estos no deben enseñar lo que es el amor mediante lecciones sino mediante el ejemplo. Los padres deben respetarse mutuamente, deben tratarse con cariño, deben sacrificarse el uno por el otro. Estas manifestaciones las verán los hijos, y tenderán a hacer lo mismo.

Los miembros que viven en el mismo hogar tienen que aprender a solicitar las cosas por favor, deben evitar las palabras ásperas, es necesario que se acostumbren a pedir perdón, cuando han cometido una falta que haya podido herir a los demás.

Juntamente con el calor físico de la calefacción, hay que crear un calor espiritual, un calor de nido, que haga que el hogar sea un sitio acogedor y confortable.

El que no haya aprendido a amar dentro del seno familiar, siempre le faltará algo en la vida. Un hombre que ha crecido sin amor, nunca acabará de ser todo lo que podía haber sido. El arte de amar, hay que aprenderlo en la infancia.

Es tremenda la responsabilidad de los padres. De ellos depende que, en el día de mañana, sus hijos sean unos seres capaces de amar, capaces de hacer felices a los demás, o sean unos seres insolidarios.

José María Moliner

El hombre puede perder todo: esposa, hijos, bienes materiales, y aún es hombre. Sólo aquel que pierde la capacidad de amar, comprender y perdonar ya no es un hombre, es un cadáver, pues ha perdido su alma.

Adela Márquez

Y todos viven, no por el cuidado
que tengan de sí mismos, sino por el amor
que otros sienten por ellos.

León Tolstoi

La verdadera religión no consiste en prácticas, rituales, baños y peregrinaciones, sino en amar a todos. El amor cósmico lo abarca todo. En su presencia se desvanecen las distinciones y diferencias, así como el odio, los celos y el egoísmo, de la misma forma que la oscuridad desaparece con los rayos del sol de la mañana. No hay religión más grande que el amor. No hay conocimiento más elevado que el amor.

Sivananda

El amor es una cosa extraordinaria; sin él la vida es estéril. Uno puede tener muchos bienes y poder, pero sin la belleza y la grandeza del amor, la vida pronto se llena de miseria y confusión.

El amor implica... que quienes son amados sean dejados en total libertad de crecer plenamente, de ser algo más grande que sólo máquinas sociales.

El amor no obliga, ni abiertamente ni a través de la sutil amenaza de los deberes y las responsabilidades.

Donde hay cualquier forma de compulsión o ejercicio de autoridad, allí no hay amor.

Jiddu Krishnamurti

Las riquezas, hijo mío, no deben ser jamás la meta de tu vida. La verdadera riqueza es la del corazón. Esfuérzate por alcanzar la felicidad, por amar y ser amado, y lo que es de más importancia, procura con ahínco alcanzar la paz mental y la serenidad.

Og Mandino

La alegría tonifica el espíritu. El dolor lo enaltece. La alegría forma el carácter; el dolor la voluntad. La alegría impulsa hacia el sentimiento; el dolor hacia el universo, en busca del verdadero amor. La alegría afina nuestra capacidad de vivir; el dolor, afina nuestra capacidad de superación. Ambos son buenos para nuestra evolución.

San Agustín

El Poder del Amor

Un profesor universitario envió a sus alumnos de sociología a las villas miserias de Baltimore para estudiar doscientos casos de varones adolescentes. Les pidió que escribieran una evaluación del futuro de cada chico. En todos los casos, los estudiantes escribieron: "No tiene ninguna posibilidad". Veinticinco años más tarde, otro profesor de sociología se encontró con el estudio anterior. Envió a sus alumnos a que hicieran un seguimiento del proyecto para ver qué les había pasado a aquellos chicos. Exceptuando a veinte de ellos que se habían ido o habían muerto, los estudiantes descubrieron que casi todos los restantes habían logrado un éxito más que modesto como abogados, médicos y hombres de negocios.

El profesor se quedó pasmado y decidió seguir adelante con el tema. Por suerte, todos los hombres estaban en la zona y pudo hablar con cada uno de ellos. "¿Cómo explica su éxito?", les preguntaba. En todos los casos, la respuesta, cargada de sentimiento, fue "Hubo una maestra".

La maestra todavía vivía, de modo que la buscó y le preguntó a la anciana, pero todavía lúcida mujer, qué fórmula mágica había usado para que esos chicos salieran de la villa y tuvieran éxito en la vida.

Los ojos de la maestra brillaron y sus labios esbozaron una agradable sonrisa. "En realidad es muy simple -dijo- quería mucho a esos chicos".

Eric Butterworth

En el amor una mirada es más profunda que un océano, una caricia más turbante que el universo y unas frases de amor más dulces que el cántico de las aves...

Francisco Miguel

Sin Apegos

Donde hay amor no hay deseos. Y por eso no existe ningún miedo. Si amas de verdad a tu amigo, tendrías que poder decirle sinceramente: así sin los cristales de los deseos, te veo como eres, y no como yo desearía que fueses, y así te quiero yo, sin miedo a que te escapes, a que me faltes, a que no me quieras. Porque en realidad, ¿qué deseas? ¿Amar a esa persona tal cual es, o a una imagen que no existe? En cuanto puedas desprenderte de esos deseos-apegos, podrás amar; a lo otro no se le debe llamar amor, pues es todo lo contrario de lo que el amor significa.

Entonces puedo decirle al otro: como no tengo miedo a perderte, pues no eres un objeto de propiedad de nadie, entonces puedo amarte así como eres, sin deseos, sin apegos ni condiciones, sin egoísmos, ni querer poseerte. Y esta forma de amar es un gozo sin límites.

Anthony de Mello - S.J.

Cuando el cielo quiere salvar a un hombre,
le envía el amor.
Goethe

La felicidad está en nosotros mismos.
Somos felices porque amamos,
no porque nos aman.
Madre Teresa de Calcuta

No ser amado es una simple desventura;
la verdadera desgracia es no saber amar.
Albert Camus

La Sagrada Labor...

Entonces, dijo el labrador: Háblanos del laborar
Y él respondió, diciendo:

Laboráis para seguir el ritmo de la tierra y del alma de la tierra. Porque estar ocioso es convertirse en un extraño en medio de las estaciones y salirse de la procesión de la vida, que marcha en amistad y sumisión orgullosa hacia el infinito.

Cuando Laboráis, sois una flauta a través de cuyo corazón el murmullo de las horas se convierte en música. ¿Cuál de vosotros querrá ser una caña silenciosa y muda cuando todo canta al unísono?

Se os ha dicho siempre que laborar es una maldición y la labor una desgracia. Pero yo os digo que, cuando Laboráis, realizáis una parte del más lejano sueño de la tierra, asignada a vosotros cuando ese sueño fue nacido.

Y, laborando, estáis, en realidad, amando a la vida. Y amarla, a través de una labor, es estar muy cerca del más recóndito secreto de la vida.

Pero si, en vuestro dolor, llamáis al nacer una aflicción y al soportar la carne una maldición escrita en vuestra frente, yo os responderé que nada más que el sudor de vuestra frente lavará lo que está escrito.

Se os ha dicho también que la vida, es oscuridad y, en vuestra fatiga, os hacéis eco de la voz del fatigado. Y yo os digo que la vida es, en verdad, oscuridad cuando no hay un impulso.

Y todo impulso es ciego cuando no hay conocimiento. Y todo saber es vano cuando no se labora. Y toda labor es vacía cuando no hay amor.

Y cuando Laboráis con amor, os unís con vosotros mismos, y con los otros, y con Dios.

¿Y qué es laborar con amor?

Es tejer la tela con hilos extraídos de vuestro corazón, como si vuestro amado fuera a usar esa tela.

Es construir una casa con afecto, como si vuestro amado fuera a habitar en ella.

Es sembrar semillas con ternura y cosechar con gozo, como si vuestro amado fuera a gozar del fruto.

Es infundir en todas las cosas que hacéis el aliento de vuestro propio espíritu. Y saber que todos los muertos benditos se hallan ante vosotros observando.

He oído a menudo decir, como si fuera en sueños: "El que labora en mármol y encuentra la forma de su propia alma en la piedra es más noble que el que labra la tierra". "Aquél que se apodera del arco iris para colocarlo en fina tela transformada en la imagen de un hombre es más que el que hace las sandalias para nuestros pies".

Pero, yo digo, no en sueños, sino en la vigilia del mediodía, que el viento no habla más dulcemente a los robles gigantes que a la menor de las hojas de la hierba; y solamente es grande el que cambia la voz del viento en una canción, hecha más dulce por su propio amor.

Laborar es el amor hecho visible. Y si no podéis laborar con amor, sino solamente con disgusto, es mejor que dejéis vuestra tarea y os sentéis a la puerta del templo y recibáis limosna de los que laboran gozosamente.

Porque, si horneáis el pan con indiferencia estáis horneando un pan amargo que no calma más que a medias el hambre del hombre. Y si refunfuñáis al apretar las uvas, vuestro murmurar destila un veneno en el vino.

Y si cantáis, aunque fuera como los ángeles, y no amáis el cantar, estáis ensordeciendo los oídos de los hombres para las voces del día y las voces de la noche.

Kahlil Gibrán

Noche de Paz en el Bosque de Hürtgen

Cuando llamaron a la puerta en aquella Nochebuena de 1944, ni mi madre ni yo sospechamos que eso era el comienzo del sereno milagro en que íbamos a ser ambos actores y testigos.

Tenía yo en ese entonces 12 años. Hacía poco que vivíamos en las Ardenas, cerca de la frontera de Alemania con Bélgica, en la cabaña donde, antes de la guerra, se alojaba mi padre durante las cacerías de fines de semana. Al quedar nuestra casa de Aquisgrán hecha escombros por los bombardeos de los Aliados nos instaló él en esa cabaña, que distaba sólo seis kilómetros de Monschau, la población fronteriza a que lo habían llamado a prestar servicio en la brigada cívica de incendios.

-Estaréis más seguros en el bosque -me dijo mi padre al dejarnos en la cabaña-. Y a ver cómo cuidas de tu madre, ahora que tú eres el hombre de la casa.

La última y desesperada ofensiva iniciada hacía una semana por el mariscal von Rundstedt, colocó a la cabaña en el teatro mismo de la batalla de las Ardenas. Aquel 24 de diciembre, en los momentos en que iba yo a ver quién llamaba a la puerta, seguía oyéndose el incesante tronar de la artillería, el zumbido de los aviones; y rasgaba la oscuridad de la noche el haz de los reflectores. Miles de soldados alemanes y aliados combatían y morían en las inmediaciones de la cabaña.

Lo primero que hizo mi madre al oír que llamaban fue, apagar las velas para dejar la habitación a oscuras. En seguida, adelantándose a mí, abrió la puerta. Frente a nosotros, como dos fantasmas, se recortaron contra la blancura de los nevados árboles las siluetas de dos hombres con cascos de guerra. Uno de ellos habló en lenguaje que no entendimos, a la vez que señalaba hacia un tercer hombre que, a corta distancia de él y de su compañero, yacía en la nieve. Mientras yo estaba preguntándome quiénes serían aquellos hombres, mi madre se había dado cuenta de lo que significaban para nosotros. Eran estadounidenses... ¡Soldados enemigos!

Me atrajo hacia ella apoyando una mano en mi hombro y quedó frente a los soldados, silenciosa e inmóvil. Aunque, de quererlo, habrían podido entrar en la cabaña, los dos soldados, sin dar un paso, imploraban con la mirada. El herido parecía más muerto que vivo.

-Komm' rein -dijo al fin mi madre, invitándoles a entrar con un ademán.

Levantaron los soldados al herido, entraron con él en la cabaña y lo acostaron en mi cama.

Viendo que ninguno de los dos sabía palabra de alemán, mi madre les habló en francés. Uno de ellos chapurreaba este idioma. Así pudieron entenderse. Antes de ir a cuidar del herido, me dijo ella:

-Estos dos tienen entumecidos los dedos de las manos. Ayúdales a quitarse las guerreras y las botas, y anda a traer un cubo con nieve.

Obedecí; y poco después estaba friccionándoles a los dos los amoratados pies.

Nos fuimos enterando de sus nombres. El de cuerpo algo achaparrado y cabellos negros se llamaba Jim; su compañero, cenceño y de buena estatura, Robin. El herido, cuyo nombre era Harry, dormía a esas horas en mi cama. Tenía la cara más blanca que la nieve que seguía cayendo afuera. Los tres habían perdido contacto con su batallón y llevaban tres días vagando por esos bosques, en busca de los estadounidenses y procurando ocultarse de los alemanes. Aunque tenían crecida la barba, al verlos sin la guerrera parecían unos niños grandes. Y como si en efecto lo hubiesen sido, empezó a tratarlos mi madre, quien, volviéndose a mí, dijo luego:

-Tráeme a Hermann... y también media docena de patatas.

Esto significaba un cambio radical en nuestros planes para la Navidad. Hermann era un gallo hermosote (mi madre le puso ese nombre por Hermann Goering, al que ella no quería mucho que digamos). Lo estaba engordando desde hacía semanas, con la esperanza de servirlo en la Nochebuena, si mi padre venía a pasarla con nosotros. Pocas horas antes, perdida esa esperanza, le concedió al gallo unos días más de vida, para echarlo entonces en la cazuela el día de Año Nuevo, si lo festejábamos con mi padre. Pero, según lo que yo barruntaba ahora, Hermann estaba destinado a más urgente e inminente cometido.

Mientras Jim y yo ayudábamos en la cocina, y Robin cuidaba de Harry -cuyo estado era grave por la mucha sangre que la herida del muslo le había hecho perder-, mi madre sacaba tiras de una sábana para preparar vendas.

Llegaba ya a la habitación el apetitoso olorcillo del asado y procedía yo a poner la mesa, cuando llamaron de nuevo a la puerta. Calculando que serían otros estadounidenses, fui a abrir en seguida. Frente a mí surgieron cuatro soldados cuyo uniforme conocía de sobra al cabo de cinco años de guerra. Eran hombres de la Wehrmacht... ¡soldados de los nuestros!

Quedé helado de espanto. Aunque casi niño, estaba enterado de la implacable severidad de la ley: dar asilo al enemigo era delito de alta traición. ¡Podrían fusilarnos! También mi madre estaba asustada. La vi ponerse mortalmente pálida. Pero dando un paso hacia los soldados, dijo:

-Fröhliche Weihnachten.

Respondieron ellos deseándole también felices pascuas. El cabo estaba al mando, explicó después:

-Nos hemos extraviado de nuestro regimiento y querríamos descansar hasta que amanezca. ¿Podemos entrar?

-Claro que sí -respondió mi madre con esa tranquilidad que a veces da el mismo pánico-. Pueden entrar, descansar y compartir con nosotros el rico asado que está en el horno.

Al oír esto y percibir el olorcillo que salía por la entornada puerta de la cabaña, sonrieron los alemanes con la boca hecha agua.

-Pero debo advertirles que tenemos aquí otros invitados que tal vez no sean del agrado de ustedes -les dijo mi madre; y añadió con una severidad completamente nueva en ella-. De todos modos, esta noche es Nochebuena y no quiero tiros en mi casa.

-¿Quiénes tiene usted ahí dentro ... estadounidenses? -preguntó el cabo.

Miró ella de hito en hito los helados semblantes del cabo y de sus compañeros, y dijo recalcando las palabras:

-Hablemos claro. Vosotros, lo mismo que los que están ahí dentro, podríais ser hijos míos. A uno de ellos lo trajeron aquí herido y más muerto que vivo. Los otros dos andaban perdidos en el bosque, lo mismo que vosotros; y, como vosotros, muertos de hambre y de cansancio. Esta noche -alzó aquí la voz al quedarse mirando fijamente al cabo-, sí, esta noche es Nochebuena y tendremos la fiesta en paz.

Sostuvo el cabo la mirada. Hubo dos, tres angustiosos, interminables instantes de silencio.

-¡Ea! Basta con lo dicho -gritó mi madre dando unas palmadas-. Vais a hacerme el favor de dejar vuestras armas ahí, en la leñera. ¡Y daos prisa, no sea que los otros os dejen sin asado!

Los cuatro alemanes obedecieron como autómatas; entraron en la cabaña y fueron dejando en la leñera, a un lado de la puerta, todas sus armas: dos pistolas, tres carabinas, una metralleta y dos Panzerfäuste (tubos lanzacohetes antitanques). Entretanto, Jim, al que mi madre dijo apresuradamente algo en francés, habló en inglés con el otro estadounidense; y vi con sorpresa que ambos le entregaban a ella las armas.

Al quedar alemanes y estadounidenses juntos, pero también penosamente distanciados en espíritu, a pesar de hallarse casi codo con codo por lo reducido de la habitación en que estábamos, fue cuando el don de gentes de mi madre rayó más alto. Con imperturbable amabilidad, sonriente la expresión, buscó manera de acomodarlos a todos.

Había sólo tres sillas, pero improvisó a tal fin su propia cama, en la cual hizo que tomasen asiento, al lado de Jim y Robin, dos alemanes.

Desentendiéndose de lo tenso del ambiente, se ocupó luego en disponerlo todo para la cena. Pero Hermann no podía dar de sí más de lo que tenía; y eran ahora cuatro bocas más para alimentar.

-Ve corriendo a la despensa por más patatas y unos puñados de avena -me dijo al oído-. Estos muchachos están hambrientos, y el hambre es mala consejera.

Desde la despensa oí que Harry había empezado a quejarse. Al volver a la habitación, vi que uno de los alemanes tenía puestas las gafas y estaba examinando la herida de Harry.

-¿Es usted médico militar? -le preguntó mi madre.

-No, señora, pero hasta hace pocos meses era estudiante de medicina en Heidelberg -respondió él. Y en lo que, al parecer, era bastante buen inglés explicó que, gracias al frío, no se había infectado la herida.

-Pero ha perdido mucha sangre y está muy extenuado. Necesita reposo y buena alimentación -concluyó diciendo.

La recelosa tirantez que reinó al principio iba siendo reemplazada por una confiada tranquilidad. Hasta a mí, al verlos sentados con nosotros, me parecían los soldados unos muchachos. Heinz y Willi, ambos de Colonia, tenían 16 años.

El cabo, que era el de más edad, solamente 23. Sacó del morral una botella de vino tinto. Heinz, después de rebuscar en el suyo, encontró un pan de centeno. Mi madre partió el pan en pequeñas porciones para servirlo con la cena. De la botella de vino guardó la mitad, diciendo:

-Esto es para el herido.

Cuando, sentados a la mesa, rezó la acción de gracias, noté que le quebraba el llanto la voz al llegar a la parte que dice "Komm, Herr Jesús, sé nuestro invitado". Los soldados que habían visto de cerca la muerte en los campos de batalla, lloraban también. En esos momentos, los de los Estados Unidos lo mismo que los de Alemania eran sólo muchachos que se sentían muy lejos de su hogar.

Al filo de medianoche se asomó mi madre a la puerta de la cabaña y nos llamó para que viésemos la estrella de Belén. Acudimos en seguida. El único que faltó fue Harry, que dormía apaciblemente. En muda contemplación de Sirio, la estrella más brillante de todo el cielo, la guerra se trocaba para nosotros en algo lejanísimo, casi inexistente.

El armisticio pactado por nuestra cuenta y riesgo seguía vigente al amanecer. Harry, que despertó en mitad de la noche murmurando frases incoherentes, volvió a quedarse dormido después de tomar la taza de caldo que le llevó mi madre, y estaba mejor. Preparó ella ahora para él una bebida confortante compuesta de azúcar, el vino que había dado el cabo y el último huevo que se encontró en la despensa. Los demás nos desayunamos con avena hecha en agua. Al concluir el desayuno, trajo mi madre el mejor de sus manteles, con el cual y un par de palos se improvisó una camilla para Harry.

Con la ayuda del estudiante de medicina, que servía de intérprete, el cabo indicó a Jim y a Robin el mejor camino para llegar a las líneas estadounidenses (en esos días del fluctuante frente de la batalla de las Ardenas los alemanes estaban asombrosamente bien informados). En el mapa que llevaba Jim señaló el cabo un arroyo y dijo:

-Siguiendo a lo largo de él, aguas arriba encontrarán el lugar donde está reagrupándose el Primer Ejército.

Cuando le tradujeron lo dicho por el cabo, pidió Jim que le preguntasen:

-¿No sería mejor ir a Monschau?

-¡Um Himmels Willen! Nein -exclamó el cabo-. Monschau es nuestro otra vez.

Al devolverles a los soldados las armas, les dijo mi madre:

-Y ahora, muchachos, andad con cuidado. Quiero que volváis algún día sanos y salvos a vuestras casas, que es donde hacéis falta. ¡Qué Dios os lleve con bien!

Alemanes y estadounidenses se estrecharon la mano al despedirse. Luego se alejaron cada cual por su lado, mientras nosotros los seguíamos con la mirada. Después, mi madre entró en la cabaña.

Cuando, pasados unos minutos, fui a reunirme con ella, la encontré con la vista fija en el libro que tenía en las manos, absorta al parecer en la lectura. Me acerqué a ella para mirar por encima del hombro. La antigua Biblia de la familia estaba abierta por el pasaje en que se habla del nacimiento de Jesús en Belén y de cómo los magos llegados de Oriente le adoraron y ofrecieron presentes. Mi madre me señaló lo que leía deslizando el índice a lo largo de las líneas que dicen: "...regresaron a su país por otro camino".

Fritz Vincken

i tienes enemigos: reconcíliate con ellos.
Navidad es Paz.

Si en tu corazón tienes soberbia: sepúltala.
Navidad es Humildad.

Si tienes deudas: págalas antes que te lo gastes todo.
Navidad es Justicia.

Si tienes pecados: arrepiéntete y conviértete.
Navidad es nacer al Espíritu.

Si tienes pobres a tu lado: ayúdalos.
Navidad es un Don.

Si en tu mente tienes sombras y dudas,
enciende un candelabro. Navidad es Luz.

Si tienes errores: piensa y reflexiona.
Navidad es Verdad.

Si tienes tristezas y preocupaciones: alégrate.
Navidad es Gozo.

Y si sientes odio y resentimiento:
arrepiéntete, perdona a todos
y perdónate a ti mismo,
porque entonces ya Dios te ha perdonado:
Navidad es Amor.

Anónimo

¿**D**ónde está el hogar?
el hogar está donde el corazón ríe sin timidez;
donde las lágrimas del corazón se secan por sí solas.

Vernon Blake

Vendrá la Paz...

Si tú crees que una sonrisa es más fuerte que un arma,
Si tú crees que lo que une a los hombres es más fuerte que lo que los separa,
Si tú crees en el poder de una mano extendida,
Si tú crees que ser diferente es una riqueza y no un peligro... entonces vendrá la paz.

Si tú sabes mirar al otro con un poquito de amor,
Si tú sabes preferir la esperanza a la sospecha,
Si tú estás persuadido que te corresponde tomar la iniciativa antes que al otro,
Si todavía la mirada de un niño llega a desarmar tu corazón... entonces vendrá la paz.

Si tú puedes alegrarte del gozo de tu vecino,
Si la injusticia que golpea a los otros te indigna tanto como la que tú sufres,
Si para ti el extranjero es un hermano,
Si tú sabes dar gratuitamente un poco de tu tiempo por amor... entonces vendrá la paz.

Si tú sabes aceptar que el otro te preste su ayuda,
Si tú compartes tu pan y sabes dar con él un pedazo de tu corazón,
Si tú crees que el perdón consigue más que la venganza,
Si tú sabes cantar la felicidad de otro y bailar su alegría... entonces vendrá la paz.

Si tú puedes escuchar al desdichado que te hace perder tu tiempo y entretenerlo con una sonrisa,
Si tú sabes aceptar la crítica y hacer que te sea provechosa sin rechazarla ni defenderte,
Si tú sabes acoger y aceptar un punto de vista diferente al tuyo,

Si tú rehusas darte golpes por tus culpas en el pecho de otros... entonces vendrá la paz.

Si para ti, el otro es ante todo un hermano,

Si para ti la cólera es una debilidad, no una manifestación de fuerza,

Si tú prefieres ser herido antes de hacer daño a alguien,

Si tú no te sientes tan importante que «después de ti el diluvio»... entonces vendrá la paz.

Si tú alcanzas y te colocas al lado del pobre y del oprimido sin creerte un héroe,

Si tú crees que el amor es la única fuerza de disuasión,

Si tú crees que la paz es posible...

Entonces vendrá la paz.

*Este es el mensaje proclamado
por 4,000 «Niños Cantores» del mundo,
reunidos en Bruselas
en su Congreso Internacional de 1992.*

*Machu Picchu
Ciudad Perdida de los Incas
Cuzco - Perú*

Siempre es Navidad

Cuando se termina
el canto de los ángeles,

Cuando se apaga
la estrella del firmamento,

Cuando los reyes
vuelven a sus palacios,

Cuando los pastores
se reúnen con sus rebaños,

...entonces empieza
la tarea de Navidad!

Encontrar al perdido,
curar al decaído,
alimentar al hambriento,
liberar al prisionero,
reconstruir las naciones,
llevar la paz a los hermanos,
hacer música con el corazón.

Howard Thurman

ÍNDICE

Primera Edición
Diciembre de 1999

Impreso en Perú
PRINTED IN PERU

COPYRIGHT ©
DICIEMBRE DE 1999
Alberto Briceño Polo

ISBN 9972-811-00-X

DERECHOS RESERVADOS

Hecho el Registro
y el Depósito Legal
Nº 15010399 - 2584

Selección Realizada por: Alberto Briceño Polo
Ilustraciones: Alberto Briceño Polo
Editado por: SAIRAM EDITORES S.R.L.
Impresión: QUEBECOR PERU S.A. - Lima, Diciembre de 1999
Visítenos en Internet: www.librotarjeta.com

Selecciones Alberto Briceño
Calidad & Excelencia

Los Libros más Pequeños del Mundo®
Esencia del Conocimiento

Estos libros reúnen enseñanzas, mensajes, reflexiones de 3000 hombres notables de la humanidad. Caben fácilmente en la palma de la mano y son totalmente legibles.

1. Palabras que Guían
2. ¡Inténtalo!
3. ¡Aquí..! y ¡Ahora..!
4. Eternamente Enamorados..! (I-II-III)
5. 200 Poemas de Amor
6. Te Amo (I-II-III)
7. Luz..! (I-II-III)
8. El Libro (I-II-III)
9. Manual del Guerrero
10. Cartas a mis Hijos
11. Hacia un Despertar..!
12. Lo Que Perdura
13. Esencia de las Religiones (Colección de 6 Tomos)
14. MiniBiblia
15. Cantar de los Cantares
16. Sabiduría (I-II-III)
17. Renueve su Vida ¡Ríase..!
18. 1200 Graffitis del Mundo
19. Cuentos Clásicos para Niños (5 Tomos)
20. Leyendas Universales (5 Tomos)
21. Historias Ejemplares (3 Tomos)
22. Mini Diccionario
23. Refranes y su Significado (I-II)
24. Colección Ser
    (I) Ternura
    (II) Armonía
    (III) Plenitud
25. Para Ella...
26. Para El...
27. Amistad
28. Serenidad
29. A los Padres
30. 1700 Refranes
31. El Amor
32. Colección Especial para Niños (Fábulas - Adivinanzas - Refranes)
33. Semillas
34. El Pequeño Libro de Oro
35. Un Minuto para Renacer
36. De Corazón a Corazón
37. 500 Aforismos
38. Aprendiendo a Ser Feliz
39. 500 Adivinanzas Universales
40. Fábulas
41. El Pequeño Manual
42. El Tiempo es Oro
43. Principios Eternos
44. A los Pies del Maestro
45. Camino a la Fortuna
46. Eclesiástico
47. Proverbios
48. Salmos

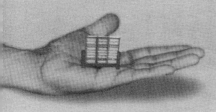

Sabiduría (I-II-III)

Cada Tomo contiene
700 frases selectas.
Esta Obra reúne
Enseñanzas de
900 Hombres Notables.

Colección Romántica

- Te Amo (I-II-III)
- Cantar de los Cantares
- Eternamente Enamorado (I-II-III)
- El Pequeño Libro de Oro
- Un Minuto para Renacer
- El Pequeño Manual
- De Corazón a Corazón
- Aprendiendo a Ser Feliz
- Para Ella
- Para El
- Ternura
- 200 Poemas Amor

Esta colección consta de 80 libros correspondientes
a los 48 títulos de la lista adjunta. Contiene reflexiones
y mensajes de 3000 Hombres Notables.

CENTROS DE DISTRIBUCION:

✓ **EN PERU** - (CASA MATRIZ)
SAIRAM EDITORES S.R.L.
Los Pelitres 1784 Urb. San Hilarión.
Lima 36
☎ (00511) 458-5361   ☎ 458-4012
            Fax: 458-4590
Visítenos en: www.librotarjeta.com
      E-mail : sairam@protelsa.com.pe

✓ **EN MEXICO**
Exitos Ilimitados S. A. de C.V.
Sur 75 -"A" Nº 4367
Colonia Viaducto Piedad
México D.F.
Tel./Fax: (00525) 530-9004

✓ **EN ESPAÑA**
Raúl Briceño Polo
Calle Julia Mediavilla # 16
Bajo derecha 28018 - Madrid
Tel./Fax: (003491) 4786493
Móvil: (0034) 608328298

✓ **EN VENEZUELA**
Corporación "BIG BEN", C.A.
Av. Urdaneta, Esqs. Candilito a Platanal,
C.C. "Doral Centro" Torre A
Piso 3-34 - La Candelaria
☎ (00582) - 5765075
Fax: 5776896 - Caracas

✓ **EN COLOMBIA**
Paulo'C Distribuidores
Calle 23 Nº 7 - 86
☎ (00571) 334-6278
☎ (00571) 341-2511
Santa Fe - Bogotá

✓ **EN ARGENTINA**
Distribuidora SATYA SAI
Vilma Briceño Polo.
Av. Santa Fe 1317
2do Piso Interno
Capital Federal C.P. 1059
☎ (011) 154 (577-9102)
Fax: (011) 4 8151310

✓ **EN CHILE**
Juan Samillán Morales
Celular: (09) 8389 - 043
Santiago de Chile